CURSO
DE ESPAÑOL
COMO LENGUA
EXTRANJERA

NUEVO
ESPAÑOL EN MARCHA

GW00584922

CUADERNO DE EJERCICIOS

Francisca Castro Viúdez

Ignacio Rodero Díez

Carmen Sardinero Francos

Español Lengua Extranjera

SGEL

Primera edición, 2014
Novena edición, 2019

Produce **SGEL – Educación**
Avda. Valdelaparra, 29
28108 ALCOBENDAS (MADRID)

© Francisca Castro, Carmen Sardinero, Ignacio Rodero
© Sociedad General Española de Librería, S. A., 2014
  Avda. Valdelaparra, 29. 28108 ALCOBENDAS (MADRID)

Coordinación editorial: Jaime Corpas
Edición: Mise García
Diseño de cubierta e interior: Verónica Sosa
Corrección: Susana López
Ilustraciones: Maravillas Delgado (págs. 30, 37, 40, 45, 51, 52, 55) y Pablo Torrecilla (págs. 4, 43, 53)
Para cumplir con la función educativa del libro se ha incluido la viñeta de Leo Verdura, cuyo autor es Rafa Ramos.
Fotografías: Archivo SGEL, Cordon Press (págs. 9, 13, 14, 15, 17, 18, 20, 31), Shutterstock (págs. 8, 10, 11, 12, 22, 23, 29, 33, 35, 37, 39, 42, 49, 53)
Impresión: Gómez Aparicio Grupo Gráfico

ISBN: 978-84-9778-379-8

Depósito Legal: M-35913-2013

Printed in Spain – Impreso en España

CONTENIDOS

Antes de empezar

1 Escribe el verbo entre paréntesis en la forma adecuada del presente.

1 Jorge _empieza_ a trabajar a las ocho de la mañana y _____ (terminar) a las cinco de la tarde. _____ (salir) de su casa a las siete de la mañana para llegar a tiempo.

2 Mis vecinos _____ (trabajar) de noche y _____ (dormir) de día, por eso nosotros no podemos hacer ruido.

3 A Araceli, ¿tú a qué te dedicas?
B _____ (ser) profesora, _____ (dar) clases de Matemáticas en Bachillerato.

4 A Y tú, ¿cómo _____ (venir) al trabajo, en metro o en coche?
B Como vivo en un chalé en el campo, primero _____ (tomar) un autobús hasta la estación de tren y luego _____ (venir) en metro.

5 A Señorita, ¿cuánto _____ (costar) este bolso?
B Ese está rebajado, 29 €.

6 A ¿Qué _____ (ir) a estudiar?
B Yo _____ (querer) estudiar Biología, pero mis padres _____ (decir) que es mejor estudiar Medicina.

7 A Hola, Óscar, ¡estás en forma!
B Sí, _____ (ir) al gimnasio todos los días.

8 A ¿Dónde _____ (estar) mi diccionario?
B No lo _____ (saber, yo).

9 A ¿Cuántas veces _____ (salir) a la semana?
B Yo solo _____ (salir) los sábados, tengo que estudiar mucho.

10 A ¿_____ (poder) decirme cómo se _____ (ir) a la estación de tren?
B Sí, mire, _____ (seguir, Ud.) recto por esta calle y _____ (tomar) la tercera a la derecha. A pocos metros está la estación de tren.

11 A Ramón, ¿_____ (volver, nosotros) ya a casa? Es muy tarde.
B Vale.

12 A ¿Cuántos hijos _____ (tener, vosotros)?
B Dos, un niño y una niña.

13 A ¿Qué _____ (hacer, tú) normalmente los sábados por la mañana?
B _____ (levantarse) a las nueve de la mañana, _____ (hacer) la compra de la semana, _____ (hacer) una comida especial para mi familia y por la tarde _____ (dar) todos un paseo por el parque. Es un día muy tranquilo.

14 A Yo no _____ (tener) problemas con el dinero, cuando no _____ (tener) suficiente, se lo _____ (pedir) a mis padres.
B Pues qué bien. Yo no _____ (poder) pedirles dinero a mis padres porque ellos tampoco _____ (tener) mucho.

2 Formula la pregunta adecuada.

1 • _____
• Sí, un niño y una niña.

2 • _____
• Treinta y cuatro.

3 • _____
• No, no la conozco.

4 • _____
• Sí, me gusta mucho, me la llevo.

5 • _____
• Vale, ¿a qué hora quedamos?

6 • _____
• No, lo siento, no puedo, tengo que hacer la comida.

7 • _____
• No, gracias, no tomo café.

8 • _____
• ¿La ventana?, sí, claro, ábrela.

9 • _____
• Nada, solo estoy un poco cansado.

10 • _____
• Comí con mi marido.

3 Contesta, como en el ejemplo.

1 • ¿Puedo sentarme aquí?
• Sí, claro, _siéntate._

2 • ¿Puedo abrir la ventana? Hace calor.
• Sí, claro, _____

3 • ¿Puedo traer ya la ensalada?
• Sí, _____

4 • ¿Puedo probarme esta camisa?
• Sí, claro, _____

5 • ¿Puedo tomar otro bombón?
• Sí, claro, _____

6 • ¿Puedo bañarme ya, mamá?
• _____

7 • ¿Puedo llevarme tu paraguas?
• _____

8 • ¿Puedo poner aquí mis cosas?
• Sí, claro, _____

4 Completa con el pronombre adecuado.

1 ¿A vosotros os gusta este hotel? Pues a mí no _____ gusta nada.

2 A Carlos y Marta nuestro coche _____ parece demasiado grande.

3 Ayer _____ compré una cámara de vídeo nueva, ¿quieres ver_____?

4 Carlos, ¿qué _____ parece mi nueva cámara de vídeo?

5 A nosotros no _____ gusta bañar _____ en la piscina, preferimos la playa.

6 Roberto no _____ afeita todos los días, solo los domingos y está horrible.

7 ¿Quieres tomar un café?, _____ invito.

8 A ¿Conoces al profesor nuevo?
B No, no _____ conozco.

9 Rosa, allí están mis gafas, tráe_____ , por favor.

10 ¿A Ud. _____ gusta la tortilla de patatas?

11 A ¡Rafa, _____ llaman al teléfono!
B No puedo poner_____ ahora, estoy duchándo_____.

12 Mis padres _____ invitan a comer todos los domingos a mi marido y a mí.

13 A ¿Qué _____ pasa a Olga? Está muy seria.
B Es que _____ duele la cabeza.

14 A Elena, ¿a ti qué _____ parecen los cuadros de Miró? ¿_____ gustan?
B Sí, _____ gustan, pero no demasiado, _____ parecen infantiles.

15 A Jaime, tienes mala cara, ¿qué _____ pasa?
B Que ayer _____ caí de la bicicleta y _____ duele todo el cuerpo.

16 A Ayer, ¿a qué hora _____ acostaste?
B Muy tarde, mi mujer _____ acostó a las once de la noche, y yo a la una y media de la mañana.

17 A ¿Sabes que Luisa y Ángel _____ divorciaron el año pasado?
B No, no _____ sabía.

18 A Alejandro, ¿tú _____ quieres?
B Claro que _____ quiero, mujer.

19 A ¿Qué vas a hacer este verano?
B Voy a quedar_____ en Madrid, trabajando.

20 Yo creo que a todos los españoles no _____ gustan los toros, solo a algunos.

5 Esta es la vida de una ejecutiva. Completa el texto con los verbos del recuadro en pretérito indefinido.

salir (x 2) • hacer • ~~tener~~ (x 2) • recibir acostarse • desayunar • comer • pasar levantarse • empezar

MUJER DE HOY

Ayer Virginia (1) _tuvo_ un día ocupadísimo. (2)_____ a las seis y media de la mañana, (3)_____ una taza de cereales con leche y un zumo de naranja y (4)_____ de casa a las siete y media de la mañana con la bolsa del gimnasio. (5)_____ ejercicio de ocho a nueve de la mañana y a las nueve y media de la mañana (6)_____ a trabajar. (7)_____ dos reuniones con sus jefes antes de comer. (8)_____ en el restaurante de la empresa y por la tarde (9)_____ a varios colegas de otras empresas. (10)_____ de la oficina a las seis y media de la tarde. Antes de llegar a su casa (11)_____ por el supermercado para comprar verduras y pan para la cena. Por fin (12)_____ a las once de la noche.

6 Completa las frases con las preposiciones adecuadas (*a, de, en, por, con*).

1 Las llaves están <u>en</u> el bolsillo _____ mi chaqueta.
2 Ayer _____ la mañana vi _____ Celia _____ la parada _____ autobús.
3 ¿_____ qué hora abren la farmacia?
4 ¿Sabes? Óscar se ha casado _____ Luisa.
5 Laura se levanta todos los días _____ las dos _____ la tarde porque trabaja _____ la noche.
6 María no está _____ Madrid, fue _____ ver _____ su madre, que vive _____ Sevilla.
7 _____ mí me encantan los helados _____ chocolate.
8 Los domingos _____ la tarde veo los partidos _____ fútbol _____ la tele.
9 Rafa y Mayte están _____ vacaciones _____ Mallorca.
10 Normalmente vengo _____ clase _____ metro.
11 Los domingos mucha gente va _____ pasear _____ parque _____ Retiro.
12 Por favor, ¿el tren que va _____ Málaga pasa _____ Granada?
13 Antes _____ ir al mercado, pasa _____ la panadería.
14 Buenos días, quiero mandar este paquete _____ avión.
15 Mi pueblo está _____ 30 km _____ la capital.
16 Yo creo que Enrique está _____ mal humor porque no tiene trabajo.
17 Cuando me reúno _____ mis amigos hablamos _____ muchas cosas: _____ política, _____ cine, _____ libros, _____ todo.
18 Ayer Eduardo salió _____ su casa _____ las ocho _____ la mañana y volvió _____ las ocho _____ la noche, estaba cansadísimo.
19 Mañana va _____ dar un concierto _____ piano una amiga mía _____ el salón _____ actos _____ la escuela.
20 ¡Qué suerte tienes! Tú solo trabajas _____ la mañana, yo tengo que trabajar _____ la mañana y _____ la tarde.
21 Jaime, llama _____ teléfono _____ tu jefe.
22 La mesa nueva es _____ madera _____ pino envejecida.
23 A ¿Quién es el chico _____ las gafas?
   B Es Ernesto, el profesor _____ Química.
24 Este verano he ido _____ vacaciones _____ México.
25 He quedado _____ mi amiga _____ el aeropuerto.

7 Subraya la preposición más adecuada.

1 A ¿Por / para qué sirve este aparato?
   B Por / para limpiar las alfombras.
2 Perdone, ¿por / para dónde pasa ese autobús?
3 Esta tarta es por / para ti.
4 Venimos por / para hablar contigo.
5 A ¿Y Andrés?
   B Está paseando por / para el parque.
6 Tenéis que hacer estos deberes por / para mañana.
7 Adiós, gracias por / para todo.
8 Buenos días, quiero unas pastillas por / para el dolor de cabeza.
9 Hay una carta por / para Juan.
10 Se suspendió el concierto por / para la lluvia.

8 Relaciona.

1 Mira, David, te presento a Martina, la compañera nueva. [C]
2 Perdone, ¿hay una farmacia por aquí cerca? ☐
3 ¿Puedes abrir la ventana, por favor? ☐
4 Óscar, levántate ya, son las once de la mañana. ☐
5 ¿Quieres salir a tomar algo? ☐
6 ¿Qué van a tomar de primero? ☐
7 ¿Qué estás estudiando? ☐
8 ¿Has visto a mi hermano? ☐
9 ¿Y de postre? ☐
10 ¿Qué te pasa? ☐
11 ¿Estás casado? ☐
12 ¿Tienes hijos? ☐

a Estoy harta de mi jefe.
b Ya voy, mamá.
c Hola, Martina, ¿qué tal?
d Claro, ahora mismo.
e Sí, hay una aquí cerca.
f Vale, ¿a qué hora quedamos?
g Un flan y un helado.
h No, pero tengo novia.
i Una ensalada y un gazpacho.
j No, no lo he visto.
k Sí, tengo dos, un niño y una niña.
l Estoy estudiando Medicina.

9 Completa las frases con las conjunciones del recuadro.

> *porque   como (x 2)   si (x 3)*
> *pero (x 2)   y (x 2)   también*

1 <u>Si</u> no me arreglan pronto el ordenador, no puedo seguir trabajando.
2 Alicia nació en Chile, _____ cuando tenía un año sus padres se trasladaron a Lima, así que es peruana.
3 _____ ayer Rodrigo estaba demasiado cansado no hizo nada _____ se acostó.
4 _____ el niño tiene fiebre, llévalo al médico.
5 _____ no vienes pronto, me voy.
6 Paco come mucho _____ no engorda.
7 No vine a clase _____ me encontraba mal.
8 **A** A mí me gusta mucho el fútbol.
  B A mí _____.
9 _____ no puedo irme de vacaciones, voy a hacer un curso de cerámica.
10 Está muy enfermo, _____ no se queja para no preocuparnos.

10 Subraya el verbo adecuado.

1 Ayer vimos / veíamos la última película de Amenábar en el cine Princesa.
2 El lunes pasado comí / comía con mi jefe y su mujer.
3 Antes, cuando yo fui / era joven, no tuve / tenía internet.
4 Cuando yo fui / era niña, pasé / pasaba las vacaciones en el pueblo donde vivieron / vivían mis abuelos.
5 El sábado Lucía fue / iba de compras con su madre.
6 **A** ¿Estuviste / estabas en la fiesta de Jorge el sábado?
  B Sí, fue / era estupenda, estuvimos / estábamos bailando hasta las cinco de la mañana.
7 Yo creo que antes la gente vivió / vivía peor que ahora, no hubo / había tantas comodidades y en general, la vida fue / era más dura.
8 La primera vez que salí / salía al extranjero me gustó / gustaba tanto que ahora salgo todos los años.
9 El año pasado me concedían / me concedieron una beca porque tuve / tenía buenas notas.

11 ¿Qué sabes del español y de sus hablantes? Contesta a las preguntas.

Test cultural

1 ¿Cuántas personas hablan español en el mundo?
2 ¿De dónde viene el idioma español?
3 ¿Cuántas lenguas oficiales se hablan en España?
4 ¿Cómo se llaman los habitantes de Galicia?
5 ¿Cómo es el clima en México en verano?
6 ¿Cuándo se celebra el Día de los Muertos en México?
7 ¿En qué país está Cuzco?
8 España es el primer productor de un alimento, ¿cuál?
9 Di el nombre de dos escritores de lengua española.
10 Di el nombre de tres equipos de fútbol hispanos.
11 ¿Cuál es el equipo de fútbol más famoso de Buenos Aires?
12 Di el nombre de tres cantantes hispanoamericanos.
13 ¿Qué desayunan los españoles?
14 ¿Cuántas comidas españolas o hispanoamericanas conoces?
15 ¿Quién pintó el *Guernica*?
16 ¿Qué pintor mexicano pintó los *Murales de la Alameda*?
17 ¿Cuál es la capital de Cuba?
18 ¿Cuál es la comida más típica de México?
19 ¿Cuáles son los ingredientes de la tortilla española?

12 Relaciona.

1 La Sagrada Familia   **a** México
2 Machu Picchu   **b** Perú
3 La Alhambra   **c** Bilbao
4 Museo Guggenheim   **d** Barcelona
5 Pirámide de Teotihuacán   **e** Granada

1 Presentar y saludar

A ¡Encantado!

1 Relaciona.

1 Hola, ¿qué tal? `b`
2 Buenos días, Rosa, ¿cómo está usted hoy? ☐
3 Señor Cuevas, le presento a Sergio Martínez. ☐
4 ¿De dónde eres, Pablo? ☐
5 Eva, te presento a Pablo, de Buenos Aires. ☐
6 Mira, Susana, este es Luis Torres, un compañero nuevo. ☐

a Hola, Pablo, ¿qué tal?
b Bien, ¿y tú?
c Encantado de conocerte, Sergio.
d De Buenos Aires.
e Encantada. Bienvenido.
f Un poco mejor, gracias.

2 Estos son los gustos de Rafa y Alicia. Escribe las frases correspondientes:

		Rafael	Alicia
1	el cine	V	V
2	ir a la discoteca	X	V
3	leer	V	X
4	jugar al fútbol	X	X
5	andar	X	V
6	las carreras de coches	X	X
7	navegar por internet	V	V
8	los idiomas	V	V
9	la Historia	V	X
10	los viajes	V	V
11	los chats / las redes sociales	X	X

1 A Rafa y Alicia les gusta el cine.
2 _____
3 _____
4 _____
5 _____
6 _____
7 _____
8 _____
9 _____
10 _____
11 _____

3 Escribe las preguntas.

1 *¿Cómo te llamas?*
  Nicole Manderson.
2 ¿_____?
  Soy australiana.
3 ¿_____?
  Soy informática.
4 ¿_____?
  En una empresa de ordenadores.
5 ¿_____?
  En Sidney.
6 ¿_____?
  Porque voy a ir a trabajar a España.
7 ¿_____?
  Me gusta salir con mis amigos, nadar, hacer windsurf y estudiar español, claro.
8 ¿_____?
  Tres: inglés, francés y portugués.

4 Relaciona.

1 jugar
2 dar
3 ir
4 andar
5 comprar
6 navegar
7 tocar
8 admirar

a de viaje
b al fútbol
c el piano
d por internet
e por el campo
f un paseo
g recuerdos
h el paisaje

B Duermo poco

1 Completa el texto con los verbos del recuadro.

> trabajar • ser (x 4) • empezar • tener • ~~vivir~~ • salir • volver (x 2)
> levantarse • ir • estudiar • llevar • comer (x 2) • practicar

Un día en pareja

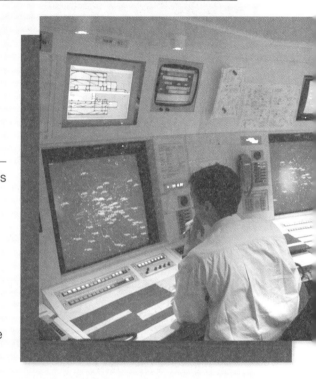

Ángel Hervás y Susana Daza (1) _viven_ en un chalé adosado en Pozuelo, cerca de Madrid. Ángel (2)_____ agente de tráfico aéreo, (3)_____ en el aeropuerto de Barajas. Su horario de trabajo (4)_____ irregular porque depende del tráfico de aviones. En verano (5)_____ más trabajo que en invierno. Si trabaja por la mañana, (6)_____ a las siete, (7)_____ a los niños al colegio y (8)_____ a trabajar a las nueve. (9)_____ en el restaurante del aeropuerto y (10)_____ a casa a las seis de la tarde.

Susana, su mujer, (11)_____ psicóloga, trabaja en un departamento de orientación de mujeres.

Su horario (12)_____ de ocho de la mañana a tres de la tarde, de lunes a viernes. (13)_____ de su casa a las 7.30 y (14)_____ a las 15.30. Normalmente (15)_____ en casa y luego (16)_____ a recoger a los niños al colegio. Por la tarde (17)_____ yoga y también (18)_____ Historia del Arte.

2 Completa con las preposiciones adecuadas (*a / de / desde / hasta / por / en / con*) y las construcciones *al* y *del*.

1. Ángel empieza a trabajar _a_ las ocho de la mañana.
2. Mi amigo trabaja más _____ verano que _____ invierno.
3. Eduardo sale _____ su casa _____ las siete _____ la mañana y vuelve _____ las siete _____ la tarde.
4. Yo no trabajo _____ la tarde, solo trabajo _____ la mañana, _____ ocho _____ tres.
5. Los bancos no abren _____ la tarde.
6. Pedro va _____ llevar _____ sus hijos _____ colegio _____ la mañana, y Rocío va _____ recogerlos por la tarde.
7. Los fines _____ semana Pedro y Rocío llevan _____ sus hijos _____ parque _____ Retiro.
8. Tengo vacaciones _____ el día 6 _____ el 31 _____ julio.
9. Todos los sábados _____ la noche veo una película _____ la tele.
10. _____ mi apartamento no se ve bien la playa.
11. _____ mi barrio, las tiendas cierran _____ dos _____ cinco.
12. Marcelo siempre llega tarde _____ clase.
13. A Julia le gustan los helados _____ fresa.
14. Carlos llega _____ su oficina _____ las ocho _____ la mañana.
15. Todos los domingos _____ la tarde voy _____ mi familia _____ dar un paseo _____ el parque.
16. Esta farmacia está cerrada por vacaciones _____ el 15 _____ el 30 de agosto.

3 Completa las frases con el pronombre correspondiente.

1 Al padre de Lola _le_ gustan mucho las novelas policíacas.
2 Estás muy mal, ¿por qué no ____ peinas?
3 Joaquín no ____ lleva el coche a su trabajo porque no puede aparcar allí.
4 A casi todos los niños ____ encanta el circo, pero a Arturo, no.
5 ¿Qué ____ parece a tus vecinos el ascensor nuevo?
6 Esa camiseta no ____ queda bien a Luisa, es demasiado grande.
7 Rafa y Mayte ____ levantan los domingos a las 12.
8 Eduardo solo ____ afeita los sábados.
9 Clara nunca ____ pinta los labios ni los ojos, no ____ gusta maquillarse.
10 A nosotros ____ gusta mucho salir al campo y no ____ molestan los mosquitos.
11 A Marta y a Luis ____ gusta mucho esta ciudad.
12 En verano siempre ____ pongo pantalones cortos.
13 Tienes sueño porque ayer ____ acostaste muy tarde.

4 🔊 Escucha a Lucía hablar de su rutina y señala V o F.

1 Lucía está casada y tiene un hijo. ☑
2 Lucía se levanta a las 6. ☐
3 Su marido trabaja en publicidad. ☐
4 Lucía va en metro a su trabajo. ☐
5 Las clases empiezan a las 8.30. ☐
6 Toda la familia come en casa. ☐
7 Lucía hace la comida. ☐
8 Lucía se acuesta a las 12. ☐

C Unas vacaciones inolvidables

---

1 Escribe la primera y la tercera persona del pretérito indefinido de los siguientes verbos. ¿Es regular o irregular?

> salir ir ser tener leer hacer escribir
> levantarse acostarse dormir terminar
> comprar comer ver poder venir

REGULARES	IRREGULARES
salí - salió	fui – fue

2 Completa el diálogo con los verbos en pretérito indefinido.

CELIA: Hola, Ana, ¿qué tal el domingo?
ANA: Bien. (1) _Me levanté_ (levantarse, yo) temprano para correr un poco por el parque. (2)_____ (volver) a casa a las diez, (3)_____ (ducharse) y (4)_____ (desayunar) con Chema.
Luego (5)_____ (salir) los dos a dar una vuelta por el Rastro. (6)_____ (comprar, yo) una mesita antigua preciosa y muy barata. (7)_____ (encontrarse) con el hermano de Chema y su mujer y (8)_____ (ir) todos a tomar unas tapas. A las dos (9)_____ (comer, nosotros) en casa y por la tarde no (10)_____ (salir). Bueno, Chema (11)_____ (ir) a jugar al ajedrez con Eduardo y yo (12)_____ (estar) hablando por teléfono con mi madre y mis hermanas casi una hora.

3 Escribe 10 frases sobre lo que hiciste el sábado pasado.

El sábado pasado fui de compras con Carlos.

_____
_____
_____
_____
_____
_____
_____
_____
_____

4 Completa el texto con los verbos del recuadro en pretérito indefinido.

1 **A** Laura, ¿adónde (ir) _____ de vacaciones el verano pasado?
  B (ir) _____ a la playa de Salou, con mi amiga Susana.
2 Eduardo, ¿dónde (poner) _____ mis gafas de sol ayer?
3 Yo no sé qué (hacer) _____ los pintores la semana pasada. Todavía no está la casa preparada.
4 **A** ¿Qué (hacer, tú) _____ anoche?
  B Nada especial. (ver) _____ una película en la tele y (acostarse) _____.
5 **A** ¿Qué (comprar, tú) _____ el domingo en el Rastro?
  B (comprar) _____ un mesa y unas sillas antiguas.
6 **A** ¿Quién (venir) _____ a casa ayer por la tarde?
  B Roberto, el periodista.
7 **A** Óscar, ¿a qué hora (volver, tú) _____ a casa el sábado por la noche?
  B No muy tarde, mamá, a las doce de la noche.
8 El mes pasado Gloria y Rafa (estar) _____ en Lisboa y dicen que (llover) _____ un poco, pero que lo (pasar) _____ muy bien.
9 El verano pasado, mi familia y yo (ir) _____ de vacaciones a Canarias, (bañarse) _____ todos los días en la playa y también (hacer) _____ una excursión en camello. (ser) _____ muy divertido.

5 Maribel está de vacaciones en Barcelona con unos amigos. Completa la postal con las palabras del recuadro.

> es • fuimos • luego • muy bien • ~~Queridos~~
> Después • y • abrazo • son • estuvimos • Fue

(1) *Queridos* padres:
¿Qué tal estáis? Yo estoy (2)_____.
Esta ciudad es preciosa, y cada día podemos hacer algo diferente. Ayer por la mañana (3)_____ primero a ver la Sagrada Familia y (4)_____ al Parque Güell . Es impresionante.
(5)_____ de comer, nos bañamos en la playa de la Barceloneta (6)_____ ya por la noche (7)_____ paseando por las Ramblas.
(8)_____ un día muy completo. Aquí la gente (9)_____ amable y las tapas (10)_____ muy buenas, pero ¡qué caro está todo!
Un (11)_____ muy fuerte y hasta el sábado.

Maribel

6 En cada frase hay un error. Búscalo y corrígelo.

1 El sábado pasado Manolo *fui* al cine. *fue*
2 ¿Apeteces una cerveza?
3 **A** ¿Qué tal el fin de semana?
  B Muy bien, fui en la discoteca.
4 Anoche yo veo la tele hasta las doce de la noche.
5 A los jóvenes españoles le encantan salir por la noche.
6 El domingo Fernando se levanto a las once de la mañana.
7 **A** ¿Vienes al cine?
  B Vale, ¿dónde nos quedamos?
  C En la puerta del cine.
8 ¿Qué hora volviste ayer a casa?

Biografías

A   ¿Quieres ser millonario?

Sevilla

Córdoba

1 Haz las preguntas correspondientes para conseguir la información subrayada.

1 ¿Qué está comprando Pedro?
Pedro está comprando <u>una bicicleta nueva</u>.

2 _____
Fui al <u>Museo de Ciencias</u>.

3 _____
<u>Ángel</u> arregló el reloj.

4 _____
Hicieron <u>pescado</u> para cenar.

5 _____
Nos vamos de vacaciones a <u>Nueva York</u>.

6 _____
Rosa y Pablo fueron <u>al zoo</u>.

7 _____
Susana sabe tocar <u>el piano</u>.

8 _____
Lorena viene <u>la semana próxima</u>.

9 _____
El helado está <u>en el congelador</u>.

10 _____
El partido es <u>a las once de la mañana</u>.

11 _____
Me gusta <u>la música clásica</u>.

12 _____
Normalmente ceno <u>a las diez de la noche</u>.

13 _____
Vinieron a verme <u>mis amigos de Jaén</u>.

2 Completa las preguntas con *cuántos, cuántas, cuánto, cuánta*.

1 ¿<u>Cuántos</u> alumnos hay en tu clase?
2 ¿_____ agua bebes al día?
3 ¿_____ películas viste el mes pasado?
4 ¿_____ cuesta un televisor de plasma?
5 ¿_____ plátanos hay en la nevera?
6 ¿_____ personas había en el estadio?
7 ¿_____ partidos de tenis ganó Nadal?
8 ¿_____ fruta comes al día?
9 ¿_____ kilómetros andas a la semana?
10 ¿_____ correos envías cada semana?
11 ¿_____ tiempo dura un partido de tenis?

3 Subraya la forma adecuada.

1 ¿Qué / Cuál ciudad prefieres: Córdoba o Sevilla?
2 ¿Cuál / Qué deporte te gusta más: el fútbol o el baloncesto?
3 ¿Qué / Cuál chaqueta te gusta más: la verde o la azul?
4 ¿Qué / Cuál quieres para cenar: pescado o carne?
5 ¿Qué / Cuál libro tienes que leer?
6 ¿Qué / Cuál prefieres: este o aquel?
7 ¿Qué / Cuál es el número de teléfono de Ricardo?
8 ¿Qué / Cuál quieres para tu cumpleaños: un libro o un CD?
9 ¿Qué / Cuál película vamos a ver hoy?
10 ¿Qué / Cuál es tu programa de TV favorito?

4 Elige la palabra correcta.

1 ¿<u>Cuántas</u> naranjas compraste?
   a Qué   b Cuántas   c Cuál
2 ¿_____ tipo de música prefieres?
   a Cómo   b Cuál   c Qué
3 ¿_____ vive tu prima?
   a Dónde   b Cuándo   c Cuál
4 ¿_____ llegaste a Chile?
   a Qué   b Dónde   c Cuándo
5 ¿_____ periódico lees habitualmente?
   a Cómo   b Qué   c Cuál
6 ¿_____ te gusta más: este o aquel?
   a Cuál   b Qué   c Cómo

B Biografías

1 Escribe frases en pretérito indefinido, como en el ejemplo.

Montserrat Caballé / nacer / en Cataluña.
Montserrat Caballé nació en Cataluña.

1 Maradona / jugar / en el Fútbol Club Barcelona.
_____

2 Cervantes / es / el autor / de El *Quijote.*
_____

3 Los Reyes de España / casarse / en Grecia.
_____

4 Antonio Banderas y Melanie Griffith / conocerse / en el rodaje de una película.
_____

5 Camilo José Cela / recibir / el Premio Nobel de Literatura en 1989.
_____

2 Lee los siguientes titulares y escribe las noticias en pretérito indefinido según el ejemplo.

Abril – 1939
TERMINA LA GUERRA CIVIL ESPAÑOLA

Enero – 1963
Los Beatles consiguen su primer éxito

Julio – 1969
El hombre llega a la luna

Mayo – 1904
DALÍ NACE EN CATALUÑA

Octubre – 1492
Colón llega a América

Julio – 1789
Comienza la Revolución francesa

1 *La Guerra Civil española terminó en abril de 1939.*
2 _____
3 _____
4 _____
5 _____
6 _____

3 Completa el texto con el pretérito indefinido de los verbos.

Miguel de Cervantes

Miguel de Cervantes Saavedra (1) _nació_ (nacer) en Alcalá de Henares en 1547. En 1569 (2)_____ (irse) a Roma y allí (3)_____ (hacerse) soldado. En una batalla importante (4)_____ (perder) el brazo izquierdo. (5)_____ (estar) en una cárcel de Argel durante cinco años y en 1580 finalmente (6)_____ (volver) a España. (7)_____ (casarse) con Catalina de Salazar. (8)_____ (tener) problemas en su trabajo de recaudador de impuestos y (9)____ (ir) a la cárcel otra vez. Allí (10)_____ (escribir) su obra más importante: *Don Quijote de la Mancha.* (11)_____ (morir) en 1616.

4 Completa el texto con el pretérito indefinido de los verbos del recuadro.

empezar (x 2) • crear • descubrir • conseguir
estudiar • gustar • ~~querer~~ • tener • dedicarse

Juan López siempre (1) *quiso* ser famoso. Él (2)_____ a jugar al fútbol cuando tenía seis años. Pero los buscadores de talentos no lo (3)_____. Años más tarde, Juan lo intentó en el mundo de la música y (4)_____ violín durante varios años. Pero a los expertos no les (5)_____ su música. Después (6)_____ en el mundo del teatro, pero no (7)_____ ningún éxito. Ante esta situación, Juan (8)_____ a los negocios. Él y su hermano (9)_____ una nueva empresa de ordenadores, donde por fin (10)_____ el éxito deseado.

C Ganadores

1 🔊 2 Escucha y completa los textos con los números del recuadro.

> 15 • 1889 • 2000 • 16 • 5 • 1933 • 2007 • 1980 • 21 • 1964 • 1995 • 2003 • 1991 • 1945

PERSONAJES

GABRIELA MISTRAL
Ganadora del Premio Nobel de Literatura

Nació en Chile en (1) 1889. Dedicó más de (2)____ años de su vida a la enseñanza. Desde (3)____ representó a su país como cónsul en Madrid, Lisboa y Los Ángeles. Su poesía ha sido traducida a muchos idiomas. En (4)____ recibió el Premio Nobel de Literatura.

PEDRO ALMODÓVAR
Ganador de un Óscar

Desde que Pedro Almodóvar dirigió su primera película en (5) ____, se convirtió en uno de los directores más importantes del cine español. Dirigió más de (6)____ películas, hasta que en el año (7)____ consiguió el Óscar de Hollywood a la Mejor Película de Habla no Inglesa, con *Todo sobre mi madre*. Posteriormente, en el año (8) _____ ganó el Óscar al Mejor Guion Original con su película *Hable con ella*. En el año (9) _____ logró un gran éxito internacional con su película *Volver*.

MIGUEL INDURÁIN
Ganador del Tour de Francia

Miguel Induráin, el famoso ciclista español, nació en Navarra en (10)____. Comenzó su carrera de triunfos con su victoria en la Vuelta a España con solo (11)____ años. Más tarde consiguió (12)____ Tours de Francia consecutivos entre (13)____ y (14)____.

2 Lee los textos otra vez y contesta las preguntas.

1 ¿En qué ciudades trabajó como cónsul Gabriela Mistral?

_____

2 ¿Cuándo ganó el Premio Nobel de Literatura?

_____

3 ¿Con qué películas ganó Almodóvar sus premios Óscar?

_____

4 ¿De dónde es Induráin?

_____

5 ¿Cuántos años tenía cuando ganó la Vuelta a España?

_____

3 Completa las siguientes frases con las preposiciones del recuadro.

> *a por desde (x 2) de hasta (x 2) en (x 4)*

1 *En* 1995 recibió el Premio Cervantes.
2 El 15 _____ marzo cumplió 47 años.
3 Ayer _____ la tarde recibieron la llamada.
4 _____ verano vamos a ir a la playa.
5 _____ el año pasado no hemos vuelto al pueblo.
6 _____ 1980 _____ el año 2000 Joaquín vivió en Estados Unidos.
7 _____ marzo llovió mucho.
8 Aprendió a conducir _____ los 18 años.
9 No tuvimos ningún problema _____ el viaje.
10 Estuve estudiando _____ las cuatro de la mañana.

4 Escribe una relación de las cosas que hiciste ayer.

1 *Ayer leí el periódico.*
2 _____
3 _____
4 _____
5 _____
6 _____
7 _____
8 _____
9 _____
10 _____

5 Contesta a las siguientes preguntas escribiendo los números completos. Busca la información en los distintos textos de la unidad.

1 ¿En qué año nació Cervantes?
En mil quinientos cuarenta y siete.

2 ¿En qué año llegó el hombre a la Luna?

_____

3 ¿En qué años ganó Almodóvar sus premios Óscar?

_____

4 ¿En qué año comenzó la Revolución Francesa?

_____

5 ¿En qué año consiguió Induráin su último Tour de Francia?

_____

6 ¿En qué año nació Dalí?

_____

7 ¿En qué año terminó la Guerra Civil española?

_____

8 ¿En qué año recibió Camilo José Cela el Premio Nobel de Literatura?

_____

Camilo José Cela recibe el Premio Nobel.

Practica más 1

1 Relaciona.

1	igual	**a**	horrible
2	amable	**b**	débil
3	preciosa	**c**	incompleto
4	fuerte	**d**	diferente
5	dulce	**e**	sucio
6	completo	**f**	antipático
7	caro	**g**	barato
8	limpio	**h**	salado

2 Lee esta información sobre Lucía y escribe frases similares sobre ti.

1 A Lucía le gusta el baloncesto, pero no le gusta el fútbol.
   A mí me gustan todos los deportes.

2 Lucía duerme todos los días 9 horas, desde las once de la noche hasta las ocho de la mañana.
   _____
   _____

3 Lucía trabaja de dependienta en una perfumería y le encanta su trabajo.
   _____

4 Vive con otras dos compañeras en un piso alquilado.
   _____

5 Después de salir del trabajo va a un gimnasio.
   _____

6 Los fines de semana sale con sus amigos y se acuesta muy tarde. Los domingos va a comer con sus padres.
   _____

7 Le gusta bailar en la discoteca, ver la tele, comprarse ropa moderna. No le gusta nada leer.
   _____
   _____

8 En las próximas vacaciones quiere visitar Perú.
   _____

9 Para su cumpleaños va a organizar una fiesta.
   _____

3 Completa con las preposiciones adecuadas: *de / a / desde / hasta / con / en / por*.

EN LA VIDA REAL

Quique trabaja (1) *en* la cafetería (2)_____ la escuela. (3)_____lunes (4)_____ viernes. Abre (5)_____ las ocho (6)_____ la mañana y cierra (7)_____ las ocho de la tarde. Descansa dos horas, (8)_____ las tres (9)_____ las cinco. (10)_____ la mañana sirve muchos desayunos: café (11)_____ leche y churros, y hace un zumo (12)_____ naranja buenísimo. (13)_____ mediodía sirve bocadillos y platos combinados y (14)_____ la tarde sirve otra vez café (15)_____ leche y bollos (16)_____ los profesores y estudiantes. La gente le cuenta sus problemas y él escucha (17)_____ todo el mundo.

4 Forma frases.

1 A Ángel / encantar / el chocolate.
   A Ángel le encanta el chocolate.

2 Susana y Jorge / casarse / el domingo.
   _____

3 ¿Cómo / quedar / estos pantalones / a mí?
   _____

4 Yo / no encontrarse / bien / hoy.
   _____

5 ¿Qué / pasar / a tu mujer?
   _____

6 ¿Tú / ponerse / faldas cortas?
   _____

7 Mis hijos / bañarse / en el río.
   _____

8 ¿Qué / parecer / a vosotros / el plan?
   _____

5 Completa la biografía de Salvador Dalí con los verbos del recuadro. Utiliza el pretérito indefinido.

> ~~nacer~~ • celebrar • estudiar • conocer (x 2)
> empezar • recibir • vivir • pintar
> crear • morir • volver

Salvador Dalí

El pintor (1) *nació* en Figueras (Girona), el 11 de mayo de 1904. (2)_____ Bellas Artes en Madrid, donde (3)_____ a García Lorca y a Buñuel. (4)_____ sus primeros cuadros surrealistas en 1927 y en 1929 (5)_____ su primera exposición en París. En los años treinta su estilo (6)_____ el nombre de paranoico-crítico porque pretendía explorar el carácter ambiguo de la realidad. En 1929 (7)_____ a Gala, su gran amor y (8)_____ a vivir con ella en Cadaqués, en la Costa Brava.

Desde 1939 hasta 1945 (9)_____ fuera de España y fue su etapa surrealista más creativa. A partir de 1945 (10)_____ a Cadaqués, cuando su obra era conocida en casi todo el mundo. En 1974 (11)_____ el Museo Dalí de Figueras, donde el visitante puede hacer un recorrido por toda su obra. Sus pinturas más conocidas son: *La cesta de pan, El Cristo de San Juan de la Cruz, Muchacha asomada a la ventana.* (12)_____ en Cadaqués en 1989.

6 Completa esta entrevista a un cantante. Utiliza los verbos del recuadro en pretérito indefinido.

> ganar • ~~nacer~~ (x 2) • pagar
> cantar (x 2) • estudiar • empezar
> ser (x 2) • irse • estar

ENTREVISTADOR: David, ¿dónde (1) *naciste*?

DAVID: Yo (2)_____ en Valladolid.

ENTREVISTADOR: ¿Qué (3)_____?

DAVID: Con doce años (4)_____ a estudiar Canto en el Conservatorio de Valladolid y luego (5)_____ a Madrid, al Conservatorio Superior de Música.

ENTREVISTADOR: ¿Dónde y cuándo (6)_____ en público por primera vez?

DAVID: La primera vez que (7)_____ solo fue en las fiestas de un pueblo, pero no me (8)_____ nada. Durante cinco años (9)_____ cantando en un coro para ganar dinero.

ENTREVISTADOR: ¿Cuál (10)_____ tu primer éxito?

DAVID: Mi primer éxito (11)_____ el disco *Canción de amor* que (12)_____ el premio al cantante más joven de España en 1992.

7 Escribe la tilde en las palabras que la necesitan.

1 Ayer Carmen no *cenó*.
2 Eduardo volvio de Peru el sabado.
3 ¿Cuanto te costo el frigorifico nuevo?
4 Celia dejo Cuba y se instalo en EE. UU.
5 El avion de Rosa llego con retraso.
6 Carlos Gardel tuvo mucho exito entre las mujeres.
7 ¿Cuando murio Carlos Gardel?
8 Ayer no compre bastantes limones.
9 ¿Donde nacio Salvador Dali?
10 ¿Cual fue la ultima obra de Dali?
11 La Republica Dominicana es la segunda isla mas grande del Caribe.
12 En julio de 1789 comenzo la Revolucion francesa.

3 Costumbres

1 Lee el artículo y contesta a las preguntas.

Nacido para reinar

EL PRÍNCIPE FELIPE nació en Madrid el 30 de enero de 1968 y es el tercer hijo de los Reyes de España. Tiene dos hermanas, la infanta Elena (1963) y la infanta Cristina (1965), pero él es el heredero de la Corona, porque en España los varones preceden a las mujeres en la línea de sucesión al Trono.

Sus padrinos en el bautizo fueron su abuelo, el Conde de Barcelona y su bisabuela, la reina Victoria Eugenia de Battemberg, y le pusieron los nombres de Felipe Juan Pablo Alfonso y de Todos los Santos, según una costumbre griega.

Desde que empezó a andar, ha aparecido con frecuencia en los medios informativos junto a sus padres, los Reyes. Era un niño rubio, disciplinado y normal. Actualmente es un hombre serio, introvertido y con gran sentido del humor. Dicen que se parece a su madre, la reina Sofía, y a su abuelo, el rey Pablo de Grecia.

En 1986, a los 18 años, comenzó su formación militar, que duró dos años. Luego, de octubre de 1988 a junio de 1993, estudió Derecho en la Universidad Autónoma de Madrid. Posteriormente realizó estudios de postgrado en Estados Unidos.

En su tiempo libre practica la vela y el esquí, como deportes favoritos. Fue miembro de la selección olímpica de vela en los Juegos de Barcelona '92.

El 22 de mayo de 2004 se casó con la periodista asturiana doña Letizia Ortiz. La boda fue el acontecimiento social más importante del año.

El 31 de octubre de 2005 nació su primera hija, la infanta Leonor, y el 29 de abril de 2007, su segunda hija, la infanta Sofía.

Desde 1981 la Fundación Príncipe de Asturias convoca anualmente los Premios del mismo nombre, que son entregados en Oviedo por el príncipe Felipe, que es el Presidente de la Fundación. Los premios se conceden a personalidades de todo el mundo que han hecho contribuciones importantes con su trabajo en diferentes campos, como las Humanidades, las Ciencias, el Deporte, la Concordia, las Artes, etcétera.

1 ¿Dónde y cuándo nació el Príncipe?

2 ¿Cuál es su nombre completo?

3 ¿Qué carácter tiene?

4 ¿Qué deportes prefiere?

5 ¿Qué profesión tenía la que ahora es su esposa?

6 ¿Cuántos años tienen sus hijas actualmente?

7 ¿Sabes en qué comunidad autónoma se encuentra la ciudad de Oviedo?

8 ¿En qué año se convocaron los premios Príncipe de Asturias?

2 Vuelve a leer el artículo y di si las afirmaciones siguientes son verdaderas o falsas.

1 Los hijos de los reyes que no son herederos al Trono reciben el título de infante o infanta. ☐

2 En España, el primer hijo o hija de los reyes es el heredero de la Corona. ☐

3 No aparece mucho en la televisión, revistas, etc. ☐

4 Tiene formación militar e intelectual. ☐

5 Le gusta mucho la vela. ☐

3 Encuentra ocho palabras referidas a relaciones familiares.

S	A	H	E	R	M	A	N	A
L	I	M	U	P	E	C	L	Ñ
B	U	P	A	D	R	E	V	M
O	K	I	T	R	U	J	X	Z
B	I	S	A	B	U	E	L	O
E	R	D	A	M	U	G	Q	U
M	A	D	L	E	P	A	T	I
A	T	I	P	I	M	O	I	P
C	U	Ñ	A	D	O	E	A	U
O	M	I	R	P	S	P	O	N

4 🔊 **3** Paloma y Jesús están en la boda de Pili y Carlos hablando con una amiga de la familia. Escucha la conversación y señala si las frases siguientes son verdaderas o falsas.

1 Paloma y Jesús son hermanos de la novia. ☐F
2 Paloma vive en Madrid. ☐
3 Jesús está soltero. ☐
4 Jesús vive en las Islas Baleares. ☐
5 Paloma tiene tres hijos. ☐
6 Jesús tiene novia. ☐
7 La madre de la novia de Jesús está enferma. ☐

B ¿Cómo te ha ido hoy?

1 Completa con las formas correctas del pretérito perfecto.

VIAJAR	CONOCER
Yo he viajado	Yo
Tú	Tú has conocido

VIVIR	DIVERTIRSE
Yo	Yo me he divertido
Tú	Tú
Él / ella ha vivido	
	Ellos se han divertido

VOLVER	VER
Yo	Yo
Tú	Tú
Nosotros hemos vuelto	
	Vosotros habéis visto

2 Escribe frases en pretérito perfecto, como en el ejemplo.

1 Ramón / conocer / a una chica.
   Ramón ha conocido a una chica.
2. Nosotros / vivir / en Mallorca un año.
   _____
3 ¿(Tú) / ver / la última película de Almodóvar?
   _____
4 Nunca / (yo) / estar / en Argentina.
   _____
5 Mi hermano / pasar / por mi casa esta mañana.
   _____
6 Elena / ya / irse / a la cama.
   _____
7 ¿(Vosotros) / tener / problemas con el pasaporte?
   _____
8 Mis vecinos / llamar / a la policía, porque / ver / a un ladrón en la escalera.
   _____
9 Esta mañana / (yo) / no afeitarse.
   _____
10 La Sra. Pérez / estar / dos veces en el hospital.
   _____
11 Juan / no hacer / la cama hoy.
   _____
12 Clara / llegar / tarde al trabajo.
   _____

3 Forma frases con un elemento de cada columna, como en el ejemplo.

Esta mañana
Esta tarde
Hoy
Este mediodía
Este verano
Esta noche
Esta semana
Últimamente
Estos meses

comer
viajar
desayunar
salir (nosotros)
ir
ver
estar
tener
hacer
trabajar

café y tostadas
de casa
una película muy buena
en taxi a la oficina
por Centroamérica
con mi familia
en el parque
un examen de español
bastante deporte
para un periódico local

1 *Este verano he viajado por Centroamérica.*
2 _____
3 _____
4 _____
5 _____

6 _____
7 _____
8 _____
9 _____

4 Escribe los verbos entre paréntesis en la forma adecuada del presente o pretérito perfecto.

1 Normalmente, Paloma *llega* (llegar) temprano a la escuela, pero hoy ha *llegado* (llegar) tarde.
2 **A** ¿Qué tal el día?
　B Estoy cansado, _____ (trabajar, yo) mucho.
3 **A** ¿A qué hora _____ (salir, tú) de casa normalmente?
　B Normalmente _____ (salir, yo) a las ocho, pero hoy _____ (salir, yo) a las nueve.
4 Todos los días _____ (comer, nosotros) en casa, pero hoy _____ (ir, nos.) a un restaurante.
5 Los domingos no _____ (ver, nos.) la tele, pero hoy _____ (ver, nos.) una película muy buena.
6 Esta semana _____ (hacer, yo) la comida. Normalmente la _____ (hacer, ella) mi madre.
7 **A** Antonio, ¿ _____ (poner, tú) la mesa?
　B Sí, ya la _____ (poner, yo), mamá, ya podemos comer.
8 Iker _____ (acostarse) todas las noches más tarde de las once, pero hoy _____ (irse a dormir) enseguida.
9 Esta tienda _____ (abrir) todos los días a las nueve, pero hoy son ya las 10 y todavía no _____ (abrir, ellos).
10 Esta mañana la clase _____ (ser) un poco aburrida, pero normalmente _____ (ser) muy interesante.

5 Elige el tiempo apropiado (pretérito perfecto o pretérito indefinido).

conocer (x 2) • enamorarse • encontrar
hablar • tener • ver • decidir • llegar

CAMBIOS CULTURALES

Mi familia **(1)** *llegó* / *ha llegado* a España de la India en los años 70. Mi padre es muy tradicional y cree en los matrimonios concertados. Por eso, me **(2)** *ha encontrado* / *encontró* un marido cuando yo **(3)** *cumplí* / *he cumplido* nueve años. Se llama Rabí. Ahora tengo 16 años y este año **(4)** *vi* / *he visto* a Rabí por primera vez. En los últimos meses nos **(5)** *vimos* / *hemos visto* dos veces. Es una situación muy difícil porque yo ya tengo novio. Nos **(6)** *hemos conocido* / *conocimos* en mi última fiesta de cumpleaños y nos **(7)** *enamoramos* / *hemos enamorado*. Esta mañana **(8)** *hablé* / *he hablado* con mi madre y las dos **(9)** *hemos decidido* / *decidimos* decírselo a mi padre esta noche.

6 Lee el texto de *Leo Verdura* y contesta a las preguntas.

1 ¿De dónde ha regresado Raad?
_____
_____

2 ¿A quién ha conocido?
_____
_____

3 ¿Dónde la ha conocido?
_____
_____

4 ¿En qué trabaja?
_____
_____

5 ¿Cuántos años tiene?
_____
_____

6 ¿Qué enfermedad tuvo Raad?
_____
_____

7 ¿Cuál es la conclusión?
_____
_____
_____

C Costumbres

1 Mira el cartel anunciador y haz frases con *no se puede* y *hay que*, como en el ejemplo.

PISCINA SOL Y AGUA
(normas de funcionamiento)

■ No jugar a la pelota
■ No correr por las instalaciones
■ No empujar al agua
■ Usar gorro de baño
■ Ducharse antes de entrar al agua
■ Usar gafas de baño

1 *No se puede jugar a la pelota.*
2 _____
3 _____
4 _____
5 _____
6 _____

2 ¿Qué hay que hacer y qué no hay que hacer el día antes de un examen?

1 *No hay que* acostarse tarde.
2 _____ repasar.
3 _____ salir por la noche.
4 _____ dormir ocho horas.
5 _____ ver la televisión hasta muy tarde.
6 _____ ponerse nervioso.
7 _____ estar tranquilo.
8 _____ cenar tarde.
9 _____ desayunar bien.
10 _____ llegar antes al examen.

4 Tiempo libre

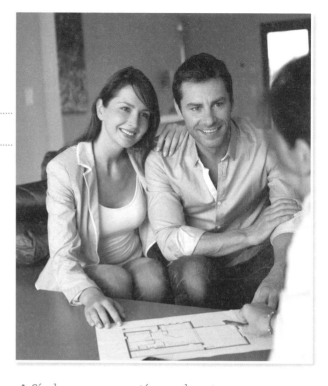

A Un lugar para vivir

1 Ordena las frases.

1 comprar / gustaría / Nos / un / en / playa / la / piso
Nos gustaría comprar un piso en la playa.

2 trabajo /cambiar / Lola / gustaría/ de / A / le
_____

3 marido / en / orquesta / gustaría / le / A / mi / trabajar / una
_____

4 ¿gustaría / a / ver / película / ir / Te / una ?
_____

5 ¿le / A / Ud. / coche / de / gustaría / cambiar?
_____

6 ganar / gustaría / Me / dinero / más
_____

7 ¿de / ir / Os / vacaciones / a / gustaría / Mallorca?
_____

8 nuclear / vivir / gustaría / cerca / una / me / No / central / de
_____

9 ¿ópera / la / viernes / ir / Les / tarde / gustaría / por / a / el / la?
_____

10 ¿cenar / Os / sábado / con / próximo / el / nosotros / gustaría?
_____

ESCUCHAR

2 🔊 4 Roberto es estudiante y está buscando piso. Escucha y completa la conversación.

A Buenos días, ¿en qué puedo ayudarte?

B _____, estoy buscando un piso o un apartamento de alquiler para _____.

A ¿Lo quieres muy céntrico o en un barrio?

B Mejor _____, es que me gusta salir _____ y no me gustan los autobuses.

A Sí... bueno, aquí tenemos un apartamento de _____, muy cerca de la plaza Mayor, reformado.

B ¿_____ ese?

A Son _____ € al mes.

B ¡Qué barbaridad! ¿No tienen otros _____?

A Sí, claro, pero no están en el centro, _____ o el metro para llegar al centro. Aquí hay uno a _____ € al mes.

B Ese está bien. ¿Dónde está?

A En Getafe, a _____ km de Madrid. Pero está muy bien _____.

B ¿En Getafe? Bueno, creo que lo pensaré y volveré _____.

3 Escribe el nombre correspondiente.

1 El lugar donde se guarda el coche. *Garaje.*
2 La habitación donde se hace la comida.
_____

3 ¿Dónde duermes?
_____

4 El lugar donde hay un sofá, un sillón y donde puedes ver la tele.
_____

5 Donde hay una mesa y varias sillas para comer, normalmente.
_____

6 ¿Dónde te duchas?
_____

7 Donde están los árboles, las plantas, el césped…
_____

8 Lugar donde guardas la ropa.
_____

9 ¿Dónde haces el fuego?
_____

10 ¿Dónde te miras para peinarte?
_____

4 Sopa de letras. Encuentra 9 nombres de cosas de casa.

M	R	P	B	C	U	H	O	Y
Q	E	R	X	A	V	O	N	L
A	L	F	O	M	B	R	A	D
R	A	N	F	A	S	N	T	U
M	V	S	I	L	L	O	N	C
A	A	Q	P	Y	R	E	N	H
R	B	X	N	E	V	E	R	A
I	O	M	E	T	R	U	P	Ñ
O	N	S	I	L	L	A	U	C

B ¿Qué has hecho el fin de semana?

1 Elige el verbo adecuado.

1 **A** ¿Qué has hecho / hiciste este fin de semana?
 B Nada especial. El sábado he visto / vi una película en la tele y el domingo he ido / fui a ver a mis padres.

2 **A** Ayer te he llamado / llamé por teléfono y no te he encontrado / encontré.
 B Sí, es que he ido / fui con un amigo a ver una exposición de instrumentos musicales antiguos.

3 **A** ¿Dónde has estado / estuviste estas vacaciones de Semana Santa?
 B En mi pueblo. He visto / vi todas las procesiones que han salido / salieron.

4 **A** Sonia, ¿dónde has estudiado / estudiaste español?
 B En la playa. Hace un año he venido / vine de vacaciones a la Costa del Sol y he conocido / conocí a un chico español muy simpático y hemos empezado / empezamos a salir. Me he matriculado / Me matriculé en una academia para aprender español.
 A ¿Sigues saliendo con ese chico?
 B No, qué va, lo he dejado / dejé hace tres meses.

5 **A** ¿Sabes que Eduardo ha tenido / tuvo un accidente?
 B No, ¿cuándo?
 A La semana pasada. Ha chocado / Chocó con un camión, ha sido / fue horrible, está en el hospital de La Paz.

6 **A** ¿Has hablado / Hablaste con Diego últimamente?
 B Pues no, es que estas semanas he estado / estuve muy ocupado. ¿Por qué?
 A Por nada, es que el fin de semana pasado ha roto / rompió con Paula y ha estado / estuvo muy deprimido estos días.

7 **A** ¿Habéis caminado / caminasteis alguna vez por esta zona?
 B Sí, hemos venido / vinimos muchas veces.

2 ¿Has visto estas películas? Da tu opinión y completa la tabla con el vocabulario de los recuadros.

> un musical • de ciencia-ficción
> una comedia • un drama • de terror
> del oeste • de guerra • de acción

> romántica • aburrida • interesante
> divertida • horrible • desagradable
> original • emocionante • rara • maravillosa

PELÍCULA	GÉNERO	TU OPINIÓN
Titanic		
El diario de Bridget Jones		
Avatar		
Chicago		
El exorcista		
La guerra de las galaxias		
El señor de los anillos		
Sin perdón		

3 🎧 **5** Escucha la siguiente entrevista con Pedro y contesta a las siguientes preguntas.

1 ¿Con qué frecuencia va Pedro al cine?
_____

2 ¿Qué tipo de películas le gustan?
_____

3 ¿Tiene un actor favorito?
_____

4 ¿Qué actriz le gusta más?
_____

5 Di una de sus películas favoritas.

6 ¿Ha visto alguna película española últimamente? ¿Cuál?

7 ¿Qué otras actividades le gusta hacer cuando sale con sus amigos?
_____

4 Lee la encuesta y completa las conclusiones con las palabras del recuadro.

> casi todo el mundo • muy pocas
> la mayoría (x 2) • casi la mitad • todo

Los jóvenes van de compras

1 ¿Con qué frecuencia vas de compras?
  a Todas las semanas. (40%)
  b Una o dos veces al mes. (30%)
  c Casi nunca. (10%)
  d Otras respuestas. (20%)

2 ¿Qué cosas sueles comprar?
  a Ropa. (40%)
  b Juegos de ordenador. (10%)
  c Películas/música. (20%)
  d Otras respuestas. (30%)

3 ¿Dónde sueles ir de compras?
  a Grandes almacenes. (30%)
  b Pequeño comercio. (30%)
  c Mercadillos. (30%)
  d Otras respuestas. (10%)

4 ¿Sueles pedir bolsas de plástico en las tiendas?
  a No, siempre llevo la mía. (10%)
  b No, pongo las compras en mi mochila. (20%)
  c Sí, siempre. (70%)
  d Otras respuestas. (0%)

Resumen

Aquí tenemos algunas conclusiones sobre los hábitos de consumo de los jóvenes entrevistados.

• (1) _____ de las personas entrevistadas va de compras habitualmente. (2) _____ va todas las semanas.

• (3) _____ compra ropa principalmente.

• Los jóvenes compran en (4) _____ tipo de establecimientos: grandes almacenes, pequeño comercio o mercadillos.

• (5) _____ personas utilizan sus propias bolsas. (6) _____ de ellas utiliza las bolsas de plástico de las tiendas.

C ¿Quién te lo ha regalado?

1 Completa el siguiente cuadro de pronombres.

SUJETO	OBJ. DIRECTO	OBJ. INDIRECTO
yo		
	te	
		le / se
nosotros/as		
	os	
	los / las	

2 Sustituye los nombres por los pronombres correspondientes.

1 Dame el libro. *Dámelo.*
2 Estudia los verbos.
   _____.
3 Regálale ese anillo a Rosa.
   _____.
4 Tráeme las llaves.
   _____.
5 Compra un paquete de folios para Pedro.
   _____.
6 Manda un fax al director.
   _____.
7 Dale las llaves al portero.
   _____.
8 Recuerda a Juan la hora de la reunión.
   _____.
9 ¿Os devolvió Pilar los discos?
   _____.
10 Me contaron tus problemas.
   _____.
11 Cierra la ventana.
   _____.
12 Cómete el filete. _____.
13 Dale las pinturas a tu hermana.
   _____.
14 ¿Enviaste el paquete a Juan y Elena?
   _____.

3 Contesta con el pretérito perfecto o pretérito indefinido, como en el ejemplo.

1 A ¿Le has dado el libro a la profesora?
   B Sí, _se lo he dado está mañana_.
2 A ¿Le has contado a tu madre lo que ha pasado?
   B Sí, _____ esta mañana.
3 A ¿Le has llevado la merienda a Rosalía?
   B No, todavía no _____.
4 A ¿Le has devuelto el coche a Óscar?
   B Sí, _____ el sábado.
5 A ¿Le has explicado a Julia lo que tiene que hacer?
   B Sí, _____ esta mañana.
6 A ¿Te han dado las notas?
   B Sí, _____ el lunes.
7 A ¿Te ha dado la receta el médico?
   B Sí, _____ ayer.
8 A ¿Les has comprado un helado a los niños?
   B Sí, _____ para después de comer.
9 A ¿Os han dado ya los papeles de residencia?
   B Sí, _____ el mes pasado.
10 A ¿Os han traído ya las bebidas?
   B Sí, _____ ahora mismo.

4 Completa las frases con el pronombre correcto.

1 Mi mujer trabaja cerca de mi oficina. Yo siempre _la_ llevo en coche.
2 Ese libro me interesa. ¿Me _____ prestas?
3 Vamos a tomar algo, _____ invito.
4 ¿_____ sabes conducir?
5 ¡No hagáis ruido! _____ lo pido por favor.
6 ¡Qué pendientes tan bonitos! ¿Quién _____ _____ ha regalado?
7 He perdido mis gafas, ¿_____ has visto?
8 Iban demasiado deprisa y la policía _____ puso una multa.
9 _____ juego al golf mejor que tú.
10 ¿_____ has pedido el dinero a tu padre?, _____ necesitamos ya.

Practica más 2

1 Completa con *ser* o *estar*.

1 Antonio *está* muy ocupado.
2 Mira, esta ___ mi madre.
3 Julián _____ rubio y Celia, morena.
4 Mis vecinos ____ muy amables.
5 Mis hermanos _____ solteros.
6 Mi abuelo _____ muy enfermo.
7 Mi novia _____ alta y delgada.
8 Mi madre ____ muy nerviosa por la boda de mi hermano.
9 ¿_____ (tú) nervioso por la entrevista?
10 ¿De dónde _____ (vosotros)?

2 Forma diez frases con las palabras de las tres columnas y después escríbelas.

Mi profesor		divertida
Esta fiesta		egoísta
Estas películas		grosero
Mi vecina		amable
Los gatos		aburrido
Mi cuñada	ser	triste
Yo	estar	tranquilo
Mis compañeros		contento
Bailar		cariñoso
El fútbol		nervioso

1 Mi profesor es muy amable.
 Mi profesor está nervioso.
2 _____
3 _____
4 _____
5 _____
6 _____
7 _____
8 _____
9 _____
10 _____

3 Completa la conversación con el pretérito perfecto de los verbos.

A Belinda, ¿*has trabajado* (trabajar) alguna vez como guía turística?
B No, pero _____ (trabajar) en una agencia de viajes.
A ¿_____ (estar) en España?
B Sí, _____ (estar) en Andalucía y en Baleares, pero no _____ (viajar) por el resto del país.
A ¿_____ (conocer) a muchos españoles en tus viajes?
B No, no muchos. Sobre todo _____ (conocer) a muchos turistas.

4 Escribe frases sobre Belinda con la información de la actividad anterior.

1 Guía turística.
 No ha trabajado como guía turística.
2 En una agencia de viajes.
 _____
3 España.
 _____
4 Todo el país.
 _____
5 Conocer a muchos españoles.
 _____

5 ¿Lo han hecho alguna vez?

1 (Ellos) ir a Marbella.
 ¿Han ido alguna vez a Marbella?
2 (Tú) / ver una corrida de toros.
 _____
3 (Ella) / vivir en el extranjero.
 _____
4 (Vosotros) / ir a un concierto de rock.
 _____
5 (Ellos) / comido gazpacho.
 _____
6 (Tú) / montar en avión.
 _____
7 (Él) / arreglar un enchufe.
 _____

6 Haz frases en pretérito perfecto.

1 Mis padres / acostarse / temprano.
   Mis padres se han acostado temprano.

2 Juan / beberse / toda la leche.
   _____

3 Los niños / romper / el ordenador.
   _____

4 A nosotros / gustar / la película.
   _____

5 Mi novio y yo / estar de vacaciones / en Galicia.
   _____

6 El concierto / empezar / tarde.
   _____

7 La madre de Juan / caerse / por la escalera.
   _____

8 El fontanero / decir / que viene mañana.
   _____

9 ¿(Tú) / acabar de pintar tu casa?
   _____

7 Escribe frases usando *me / te / le... gustaría* + infinitivo.

1 Sergio tiene mucha hambre.
   Le gustaría comer una pizza gigante.

2 Miguel y María viven lejos de sus hijos y nietos.
   _____

3 El coche de Alberto tiene 14 años.
   _____

4 Marta vive en un piso pequeño y antiguo.
   _____

5 Nosotros no tenemos mucho dinero.
   _____

6 En mi trabajo actual trabajo mucho y me pagan poco.
   _____

7 María tiene que examinarse para entrar en la universidad.
   _____

8 Todos los días me levanto a las 6 de la mañana para ir a trabajar.
   _____

9 Pedro es hijo único, no tiene hermanos.
   _____

10 Juan nunca ha visto un partido de fútbol en un estadio.
   _____

11 Alicia canta muy bien.
   _____

8 Elige la opción correcta.

1 _____ contratar a un actor para participar en un concurso de la televisión.
   a hay que   **b** no se puede   **c** no hay que

2 ¡No mientas! _____ decir la verdad.
   a hay que   **b** no se puede   **c** no hay que

3 ¡_____ ponerse nervioso! Es solo un examen.
   a hay que   **b** no se puede   **c** no hay que

4 En los restaurantes españoles _____ fumar. Está prohibido.
   a no hay que   **b** no se puede   **c** hay que

5 _____ leer el primer episodio para comprender el argumento de la historia.
   a hay que   **b** no se puede   **c** se puede

6 En el cine _____ hablar cuando empieza la película.
   a hay que   **b** no se puede   **c** no hay que

7 _____ ser muy inteligente para resolver ese problema tan difícil.
   a hay que   **b** se puede   **c** no hay que

8 Para jugar al fútbol _____ ser muy alto. Para jugar al baloncesto, sí.
   a hay que   **b** no se puede   **c** no hay que

9 Completa las frases utilizando el *pretérito indefinido* o el *pretérito perfecto*.

1 _____ (yo/viajar) a más de diez países diferentes.

2 Mi hermana _____ (vivir) en Toledo cuando era joven.

3 ¿ _____ (tu/trabajar) alguna vez en otra ciudad?

4 En el año 2005, _____ (nosotros/hacer) un recorrido por Marruecos.

5 Nunca _____ (yo/montar) en moto.

6 ¿ _____ (vosotros/ver) la última película de Almodóvar?

7 Juan y yo _____ (conocerse) hace diez años.

8 ¿A qué hora _____ (tú/llegar) ayer al aeropuerto?

9 El año pasado mi padre _____ (vender) la casa.

10 ¿No _____ (tú/estar) nunca en Granada?

Antes y ahora

A No había tantos coches

---

1 Completa.

CANTAR	TENER
yo *cantaba*	yo _____
tú _____	tú *tenías*
él/ella/Ud. _____	él/ella/Ud. _____
nosotros _____	nosotros _____
vosotros_____	vosotros _____
ellos/as/ Uds. _____	ellos/as/ Uds. _____

DORMIR	SER
yo _____	yo _____
tú _____	tú _____
él/ella/Ud. _____	él/ella/Ud. _____
nosotros *dormíamos*	nosotros _____
vosotros _____	vosotros *erais*
ellos/as/ Uds. _____	ellos/as/ Uds. _____

2 ¿Qué hacías tú cuando eras adolescente? Escribe frases afirmativas o negativas.

1 Hacer natación.
Yo hacía natación. / Yo no hacía natación.

2 Salir de noche.
_____

3 Tener moto.
_____

4 Leer cómics.
_____

5 Ir a conciertos de rock.
_____

6 Estudiar en la universidad.
_____

7 Trabajar en verano.
_____

8 Viajar al extranjero.
_____

9 Comer hamburguesas.
_____

10 Compartir piso con otros estudiantes.
_____

11 Vestir de otra manera.
_____

12 Pertenecer a una tribu urbana.
_____

13 Ser voluntario de una ONG.
_____

14 Ir de vacaciones a mi pueblo.
_____

3 Escribe la forma correcta del pretérito imperfecto.

1 En el siglo xix la gente *viajaba* (viajar) muy poco.

2 Cuando yo era pequeño, los niños _____ (jugar) en la calle.

3 Todos los veranos, mi familia y yo _____ (ir) a casa de mis abuelos.

4 Antes los agricultores _____ (trabajar) de sol a sol.

5 Cuando nosotros _____ (vivir) en la costa, a mí me _____ (gustar) mirar al mar.

6 A principios del siglo xx, en las casas de los pueblos no _____ (haber) agua corriente.

7 Cuando le conocí, Antonio _____ (estudiar) Medicina.

8 Hacía diez años que yo no _____ (ver) un eclipse de sol.

9 Cuando mi hermana _____ (tener) cinco años, yo _____ (tener) quince, nos llevamos diez años.

10 Cuando Luis _____ (ser) niño no _____ (haber) metro en su barrio, solo _____ (haber) autobús.

11 Antes mis hijos _____ (estudiar) música en el conservatorio, pero ahora están en la universidad y no tienen tiempo.

12 Ayer, mientras mi mujer _____ (ver) un película en internet, yo _____ (hacer) la comida.

13 Luisa y Carlos _____ (ser) muy buenos amigos de pequeños: _____ (pasar) mucho tiempo juntos, _____ (ir) al mismo colegio. Pero ahora ya no se ven.

4 Completa las frases con la forma adecuada (pretérito imperfecto o indefinido) de los verbos entre paréntesis.

1 Cuando _tenía_ (tener) dieciséis años, _fui_ (ir) de vacaciones a Mallorca.

2 La primera vez que yo _____ (comer) paella no me _____ (gustar) porque _____ (tener) guisantes.

3 Cuando mi hermana y yo _____ (vivir) en Londres, _____ (conocer) a nuestro amigo Peter.

4 Juan _____ (ir) ayer de compras, pero no _____ (encontrar) lo que estaba buscando.

5 Cuando _____ (estar, yo) en Praga, el hotel _____ (estar) muy lejos del centro.

6 Ayer me _____ (llamar, ellos), pero yo no _____ (estar) en casa.

7 La semana pasada _____ (ir) tres veces al cine.

8 Ayer, cuando _____ (ir, nos.) a recoger a Laura del colegio, _____ (encontrarse, yo) con Vicenta.

9 Anoche Luis _____ (estar) muy cansado y _____ (acostarse) pronto.

10 Mis amigos no _____ (venir) ayer a mi casa porque yo _____ (estar) enferma.

11 Como Óscar _____ (estar) cansado, el domingo no _____ (salir)

12 El fin de semana _____ (hacer) muy mal tiempo y por eso _____ (quedarse, nosotros) en casa.

13 Federico _____ (llamar) al médico, pero no lo _____ (encontrar) en la consulta.

14 Lo siento, no _____ (poder) contestar a tu mensaje porque _____ (estar) en el teatro.

5 Completa el texto con las formas verbales adecuadas (pretérito indefinido o pretérito imperfecto).

EN EL AUTOBÚS

El otro día, Leo (1) _iba_ (ir) en el autobús y (2)____ (ver) a una chica que (3)_____ (estar) leyendo un libro. Leo (4)_____ (acercarse) y le (5)_____ (preguntar) el nombre del autor. La chica le (6)_____ (contestar) que (7)____ (ser) estudiante de literatura y (8)_____ (tener) otros libros del mismo autor. Cuando ellos (9)_____ (bajarse), (10)_____ (estar) charlando durante un buen rato y después (11)_____ (quedar) para el día siguiente para prestarse un libro.

ESCUCHAR

6 🔊 **6** Escucha a Jaime contando su experiencia en el extranjero y contesta a las siguientes preguntas.

1 ¿Cuándo se fue Jaime a Inglaterra?
_____

2 ¿A qué hora cerraban las tiendas?
_____

3 ¿Cómo es el clima en Inglaterra?
_____

4 ¿De dónde es Jaime?
_____

5 ¿Qué echaba de menos?
_____

6 ¿Qué hacían cuando hacía buen tiempo?
_____

7 ¿Cómo recuerda esos meses en el extranjero?
_____

B Yo no gano tanto como tú

1 Contesta a las siguientes preguntas, como en el ejemplo.

CANADÁ
35 millones de habitantes

118 MÉXICO
millones de habitantes

CUBA
11 millones de habitantes

PANAMÁ
3,6 millones de habitantes

VENEZUELA
29,7 millones de habitantes

ESPAÑA
46 millones de habitantes

DESIERTO DEL SÁHARA

JAPÓN
127 millones de habitantes

CHINA
1357 millones de habitantes

IRÁN
76,7 millones de habitantes

EGIPTO
84 millones de habitantes

Datos de 2013. Fuente: Wikipedia.

1 ¿Qué país es más grande, México o Panamá?
   México es más grande que Panamá.

2 ¿Dónde hay menos habitantes, en China o en Irán?
   _____

3 ¿Qué está más al sur, Egipto o Japón?
   _____

4 ¿Hace tanto calor en Cuba como en Canadá?
   _____

5 ¿Dónde llueve menos, en Venezuela o en el desierto del Sahara?
   _____

6 ¿Qué país es más pequeño, Cuba o España?
   _____

7 ¿Qué país tiene más población, Egipto o Canadá?
   _____

8 De los países del mapa, ¿cuál tiene menos habitantes?
   _____

9 ¿Cuántos habitantes más tiene España que Canadá?
   _____

10 ¿Cuántos habitantes más tiene Egipto que Irán?
   _____

2 Elige la respuesta correcta.

1 Sara es *más* alta que su hermana.
   a tan   **b** más   **c** como

2 Andrés es ____ más guapo de la clase.
   a la   **b** tan   **c** el

3 La habitación de Luis es ____ grande como la de Pedro.
   a tan   **b** más   **c** menos

4 El sillón es ____ cómodo que la silla.
   a el más   **b** tan   **c** más

5 Su última película es ____ que la anterior.
   a mejor   **b** mayor   **c** buena

6 Brasil es el ____ productor de café.
   a más   **b** igual   **c** mayor

7 Fue el ____ partido de la temporada.
   a peor   **b** bueno   **c** malo

8 Tu ordenador es ____ moderno que el mío.
   a tan   **b** más   **c** igual

3 Escribe frases sobre los planetas, utilizando el superlativo como en el ejemplo.

1 Mercurio / próximo / Sol.
   Mercurio es el planeta más próximo al Sol.

2 Marte / cercano / Tierra.
   _____

3 Plutón / distante / Sol.
   _____

4 Venus / caluroso.
   _____

5 Júpiter / grande.
   _____

6 Mercurio / difícil de ver.
   _____

7 Marte / parecido a la Tierra.
   _____

8 Venus / brillante.
   _____

C Moverse por la ciudad

1 Elige la frase más parecida al significado original.

1 Ellos viven enfrente de nosotros.
  a *Su casa está al otro lado de la calle.*
  b Su casa está torciendo a la izquierda.
2 Juan está sentado al lado mío.
  a Nadie está sentado entre nosotros.
  b Alguien está sentado entre nosotros.
3 La casa está cerca de la iglesia.
  a La casa está a poca distancia de la iglesia.
  b La casa está a mucha distancia de la iglesia.
4 Juan vive lejos de mi casa.
  a Entre la casa de Juan y la mía no hay mucha distancia.
  b Entre la casa de Juan y la mía hay mucha distancia.
5 El jardín está detrás de la casa.
  a Frente a la casa hay un jardín.
  b A espaldas de la casa hay un jardín.
6 A los lados de la casa hay dos tiendas de ropa.
  a La casa está entre dos tiendas de ropa.
  b A la derecha de la casa hay dos tiendas de ropa.
7 Al lado de la entrada hay un jardín.
  a Cerca de la entrada hay un jardín.
  b Lejos de la entrada hay un jardín.
8 Cruzando la calle hay una parada de autobús.
  a La parada de autobús está delante.
  b La parada de autobús está enfrente.

2 Busca en la sopa de letras el nombre de ocho medios de transporte.

A	U	T	O	B	U	S	A	C	E
M	B	D	F	I	G	T	R	E	N
H	O	I	K	C	L	N	O	Q	S
A	T	T	U	I	V	Y	A	D	F
V	G	A	O	C	H	J	L	M	M
I	N	X	O	L	P	R	T	E	U
O	V	I	X	E	Y	A	F	T	G
N	H	A	U	T	O	C	A	R	I
J	L	N	P	A	Q	S	U	O	V
Z	X	C	V	B	N	M	O	Q	W

3 Lee el siguiente artículo de prensa. Después contesta a las preguntas.

Atascos kilométricos en el regreso de vacaciones de Semana Santa

La operación retorno de Semana Santa que acaba hoy, provocó ayer atascos de hasta 30 kilómetros, principalmente en las carreteras de entrada a Madrid, Barcelona y Sevilla. Además, la lluvia, el hielo y la niebla hicieron más difícil la circulación en carreteras del sur y el norte de España.

Salieron a la carretera más coches de lo esperado, debido a que había huelga de autocares.

Por otra parte, los vuelos funcionaron con normalidad en el aeropuerto de Barajas. No se produjeron retrasos destacables. Más de mil aviones tomaron parte en la operación retorno en este aeropuerto, transportando a un total de 170 000 pasajeros.

(Adaptado de *EL PAÍS*)

1 ¿Cuándo se produjeron los problemas de tráfico?
_____

2 ¿Dónde se produjeron los atascos más importantes?
_____

3 ¿Qué circunstancias meteorológicas complicaron la operación retorno?
_____

4 ¿Qué problema laboral complicó aún más la operación retorno?
_____

5 ¿Qué medio de transporte funcionó con toda normalidad?
_____

6 Cocinar

1 Lee los anuncios y busca la información.

TABLÓN DE ANUNCIOS **El Universitario**

Se venden coches nuevos y seminuevos. Mercado de ocasión. Teléfono: 98 616 20 37. Precios especiales para los alumnos de la universidad.

Si te interesa colaborar con el periódico de la universidad, puedes hacerlo. Pregunta por Carmen en el aula 214 o por Sara en el aula 218 del edificio B, por las mañanas. También puedes pasarte por el periódico.

COMPRO IMPRESORA de segunda mano. Preguntar por Daniel en el aula **327** del edificio B (mañanas).

VENDO BOTAS DE ESQUÍ. Marca nórdica, de este año, poco usadas. 65 € Llamar al teléfono **91 693 76 96** por las tardes y preguntar por Marcos.

COMPRO ropa de mujer de los años **60** y **70** para una obra de teatro. Preguntar por Rodolfo. **93 660 80 98**

Buscamos chico o chica para compartir piso. Habitación con baño, balcón y calefacción, muy cerca de la universidad. Interesados, llamar al **91 984 67 98** y preguntar por Bea.

1 ¿Por quién tienes que preguntar si quieres ayudar en el periódico de la universidad?
_____

2 ¿Dónde está el piso para compartir?
_____

3 ¿Qué quiere Daniel?
_____

4 ¿Para qué quieren la ropa antigua de mujer?
_____

5 ¿En qué anuncio ofrecen ventajas a los alumnos de la universidad?
_____

6 ¿Cómo están las botas de esquí?
_____

7 ¿Por quién hay que preguntar si quieres compartir el piso?
_____

8 ¿Dónde puedes encontrar a Sara?
_____

9 ¿Qué características tiene la habitación del piso a compartir?
_____

10 ¿Con quién quiere Bea compartir su piso?
_____

2 Imagina que necesitas los siguientes objetos. ¿En qué sección de *Segunda Mano* tienes que buscarlos?

- un frigorífico
- una cámara digital
- un piano
- un coche

- un piso de alquiler
- una moto
- un lavavajillas

- una guitarra eléctrica
- una cama
- un ordenador

- un disco de Shakira
- un bonsái
- un acuario

Motor	Inmobiliaria	Informática	Imagen y sonido	Casa y hogar

B En la compra

1 Completa con los nombres de frutas y verduras. Hay una palabra vertical escondida.

CRUCIGRAMA

```
          P   A   A   N   O
P     M
      N               A
      L               A
      M               T   N
          P   R
      C               O
          U   A
```

2 Relaciona.

1 ¿Desea algo más?
2 ¿Cuánto es todo?
3 Quería una lechuga.
4 ¿Tiene pimientos?
5 Buenos días, ¿qué desea?
6 ¿Puede darme una bolsa?

a Son 10,20 euros.
b Sí, me quedan algunos, ¿cuántos quiere?
c No, gracias, nada más.
d Quería un kilo de naranjas.
e Sí, claro, tenga.
f Lo siento, no me queda ninguna.

3 Completa las preguntas con un indefinido: *algún, alguno, alguna, ninguno, nadie, nada...* Contesta siempre negativamente.

1 ¿Hay <u>algún</u> pimiento en el frigorífico?
<u>No, no hay ninguno.</u>

2 ¿Queda _____ lechuga para hacer ensalada?
_____ .

3 ¿Hay _____ cine cerca de tu casa?
_____ .

4 ¿Desea _____ más?
No, _____ gracias.

5 ¿Ha llamado _____ por teléfono?
No, _____ .

6 ¿Tienes aquí _____ foto de tus padres?
_____ .

7 ¿Quieres tomar _____?
_____ .

8 ¿Tienes _____ libro de yoga?
_____ .

9 ¿Esperas a _____?
_____ .

4 De las frases siguientes, ocho (incluyendo el ejemplo) son incorrectas. Encuentra cuáles son y corrígelas.

1 No hay _ninguno_ limón en el frigorífico.
  ningún limón.
2 ¿Tienes algún disco de Enrique Iglesias?
3 ¿Hay algunas botella de agua en la nevera?
4 ¿Vive algún en el piso de arriba?
5 ¿Ha venido nadie a casa?
6 ¿Alguien ha visto mis gafas?
7 ¿Hoy no ha llamado nada por teléfono?
8 ¿Alguien ha visto nada del accidente?
9 ¿Algún de vosotros sabe algo?
10 No hay nadie tan alto como tú.
11 ¿No hay ningún con gafas en esta clase?

C Cocina fácil

1 Clasifica los platos en su lugar correspondiente de la carta.

cordero asado   ensaladilla rusa
merluza   lomo de cerdo
menestra de verdura   sopa castellana
fruta del tiempo   agua mineral   helado
vino   ternera   tarta   flan

MENÚ

Primer plato

_____

_____

Segundo plato

_____

_____

Postre

_____

_____

Bebidas

_____

_____

2 Completa la conversación en el restaurante.

CAMARERO: ¿(1) _Qué_ van a tomar?
SEÑORA: Yo (2)_____ quiero sopa castellana.
SEÑOR: Y yo (3)_____ menestra de verdura.
CAMARERO: Muy bien, ¿y de (4)_____?
ELLA: ¿Qué tal (5)_____ el cordero?
CAMARERO: Riquísimo, (6)_____ de Segovia.
ELLA: Pues (7)_____ tomaré cordero.
ÉL: Yo prefiero pescado, tomaré (8)_____.
CAMARERO: Muy bien, ¿y (9)_____?
ÉL: Para beber pónganos (10)_____ de vino de la casa y una botella de agua (11)_____, por favor.
CAMARERO: ¿Vino (12)_____ o tinto?
ÉL: Carmen, ¿tú (13)_____ prefieres?
ELLA: Tinto, mejor, ¿no?
ÉL: Sí, una botella de (14)_____ tinto.
CAMARERO: Muy bien, ahora mismo.

3 Escucha y comprueba.

4 Completa las frases impersonales con los verbos del recuadro.

se puede • se habla • se escribe
se cuecen • se ve • se sirve • se toma
se pronuncian • se oye • ~~se cena~~ • se ve

1 En España _se cena_ muy tarde, a las diez.
2 Aquí no _____ fumar.
3 Los macarrones _____ en agua caliente.
4 ¿Huevo _____ con h o sin h?
5 La carne _____ con patatas fritas o ensalada.
6 Profesora, ¿puede hablar más alto? Aquí no _____.
7 Cuidado con la niebla, no _____ nada.
8 Pablo, cállate, no _____ con la boca llena.
9 Con el pescado _____ vino blanco.
10 La b y la v _____ igual.
11 Paco, la tele no _____ bien, ¿qué le pasa?

5 Lee el artículo y complétalo con las palabras del recuadro.

refrescos • ~~rito~~ • en • de • tapas • son • que • mayores • julio • acompañar
variedad • gambas • hay • estudio • boquerones • Andalucía

Las preferencias DE VERANO de los andaluces

El queso, las aceitunas y el jamón son las tapas favoritas de los andaluces a la hora del aperitivo.

Tomar el aperitivo es un (1) <u>rito</u> social importante en Andalucía. Para celebrar ese rito (2)_____ verano, las (3)_____ preferidas por los andaluces (4)_____ el queso, las aceitunas y el jamón, acompañadas de una cerveza fresquita. Así lo afirma un (5)_____ realizado por la empresa Quota Unión/Sigma Dos a principios de (6)_____ sobre una muestra de 1000 personas (7)_____ de 18 años.

Los datos (8)_____ la encuesta revelan (9)_____ las tapas más mencionadas por los encuestados son el queso, las aceitunas y el jamón, seguidas por las (10)_____ (30%), las patatas ali-oli, la tortilla, los (11)_____ , el chorizo y la paella, en este orden.

A la hora de (12)_____ a las tapas, la bebida preferida por casi todos los encuestados es la cerveza, seguida de los (13)_____ , el vino y los zumos.

En (14)_____ es donde se encuentra el origen del término tapa (porción de comida que tapaba los vasos de vino en las tabernas del sur de España). La gran cantidad de bares y cafeterías que (15)_____ en toda España permiten disfrutar de una gran (16)_____ de tapas y raciones.

(Adaptado de EL PAÍS)

APERITIVOS

Queso		40%
Aceitunas		39%
Jamón		38%
Gambas		30%
Patatas ali-oli		22%
Tortilla		20%
Boquerones		17%
Calamares		17%
Chorizo		15%
Paella		14%
Pulpo		10%

Porcentaje de encuestados que mencionan el producto

BEBIDAS

Cerveza		100%
Refrescos		60%
Zumos		30%
Vino		29%
Cerveza sin alcohol		14%

Primera respuesta espontánea

Practica más 3

1 ¿Pretérito imperfecto o pretérito indefinido?

1 Cuando yo (ser) _era_ estudiante, (trabajar)
_____ en un restaurante.
2 Cuando me (tocar) _____ la lotería, me
(comprar) _____ un piso nuevo.
3 El sábado pasado (ir, nosotros) _____ de
compras, pero todo (estar) _____ muy caro.
4 Como (hacer) _____ mucho frío, yo no (salir)
_____.
5 Antes mi marido (tocar) _____ en un grupo de
música; años después lo (dejar) _____.
6 Ayer (quedar, yo) _____ con Enrique y Ana,
pero no (venir) _____.
7 Antonio (querer) _____ venir a la fiesta, pero
el coche (estropearse) _____.

2 Elige el adjetivo correcto de cada pareja.

> claro-a / oscuro-a • antiguo-a / moderno-a
> largo-a / corto-a • caro-a / barato-a
> ancho-a / estrecho-a • grande / pequeño-a
> rico-a / pobre • limpio-a / sucio-a

1 Ese niño no sabe andar.
Es muy _pequeño._
2 No me lo puedo comprar.
Es muy _____.
3 Esa camisa azul es casi negra.
Es muy _____.
4 No tengo tiempo de limpiar.
La casa está muy _____.
5 La película duró demasiado.
Fue muy _____.
6 Mi coche no cabe en ese aparcamiento.
Es muy _____.
7 Este edificio es del siglo XVI.
Es muy _____.
8 A mi abuelo le ha tocado la lotería.
Es muy _____.

3 Elige la opción correcta.

1 Andrés es _más_ alto que su hermano.
a que   b más   c tan
2 Mi coche nuevo es _____ que el antiguo.
a tan   b como   c mejor
3 Las habitaciones de Elena y Rosa son iguales. La
habitación de Elena es _____ grande como la de
Rosa.
a tan   b que   c más
4 La silla es _____ cómoda que el sillón.
a tan   b menos   c menor
5 Elisa es más simpática _____ su compañera.
a como   b peor   c que
6 La mesa de madera no es tan antigua _____ la
de hierro.
a como   b que   c menos
7 Luis tiene tres años menos que Nacho. Nacho es
_____ que Luis. Luis es _____ que Nacho.
a mayor   b menor   c como
8 Las notas de Carlos son muy malas. Son _____
que las de su hermana.
a mejor   b peor   c peores
9 La película del sábado es muy aburrida. Es
_____ que la de la semana pasada.
a mejores   b peor   c peores
10 Juan tiene mucho tiempo libre. Está _____
ocupado que yo.
a tan   b menos   c como
11 Esta tienda es muy barata. Tiene _____ precios
que las otras.
a buenos   b mejor   c mejores

4 Completa las frases con *algo, alguien, nada, nadie, algún, alguna, alguno, algunos, algunas, ningún, ninguna, ninguno.*

1 ¿A _alguien_ le molesta que abra la ventana?
2 ¿Te gustaría tomar _____?
3 Mis amigos no quisieron beber _____.
4 El accidente parecía muy grave, pero afortunadamente no hubo _____ herido.
5 Hicimos _____ fotografías, pero _____ salió bien.
6 No queda _____ huevo en la nevera.
7 ¡En _____ sitio tienen que estar mis gafas!
8 ¿Por qué estás mirando debajo de la cama? ¿Has perdido _____?
9 Salió de casa sin decir _____ a _____.
10 ¿Tienes _____ noticia de ellos?
11 _____ está llamando a la puerta. ¿Puedes abrir?
12 No he leído _____ de sus novelas.

5 Contesta a las siguientes preguntas utilizando *nada, nadie, ningún, ninguna, ninguno.*

1 ¿Qué estás haciendo? _Nada._
2 ¿Cuántos hijos tienen? _____.
3 ¿Quién está hablando? _____.
4 ¿Qué comisteis? _____.
5 ¿Adónde fueron? A _____ sitio.
6 ¿Con quién bailaste? Con _____.
7 ¿Qué os regalaron? _____.
8 ¿Qué compraste? No había _____ tienda abierta.
9 ¿A quién viste en la fiesta? No había _____ conocido.
10 ¿Qué película visteis? _____.
11 ¿Dónde está Ana? _____ sabe dónde está.
12 ¿Quién ha visitado el Museo del Prado? _____ de nosotros hemos estado en Madrid.

6 ¿Cómo se hace el "arroz con leche"?

1	**2**
3	**4**
5	**6**

1 (hervir) _Se hierve_ la leche.
2 (echar) _____ el arroz.
3 (añadir) _____ el azúcar y la canela en rama.
4 (cocer) _____ durante veinte minutos.
5 (añadir) _____ la canela en polvo.
6 (servir) _____ frío.

7 Ordena la siguiente conversación.

– A mí póngame una sopa de primero y de segundo un filete. ☐
– Buenos días, ¿qué desean comer? ☐1
– Vino y casera, por favor. ☐
– Yo también quiero sopa, pero de segundo quiero pollo. ☐
– ¿Y para beber? ☐
– No, muchas gracias. La cuenta, por favor. ☐
– ¿Tomarán algo de postre? ☐

7 Consejos

A Este verano, salud

1 Completa la tabla de imperativos.

AFIRMATIVO	NEGATIVO
(tú) bebe	
(Ud.) beba	
	no vengas
venga	
cállate	
	no te levantes
haz	

2 Contesta, como en el ejemplo.

1 No quiero ir a trabajar, quiero quedarme en casa.
Pues no vayas a trabajar, quédate en casa.

2 Quiero tomar un té, no un café.
_____

3 Quiero salir, no quiero quedarme en casa.
_____

4 Quiero ponerme los vaqueros, no la falda.
_____

5 Quiero comer un bocadillo, no quiero comer pescado.
_____

6 No quiero ir al cine, quiero ir a la discoteca.
_____

7 Quiero sentarme aquí, no quiero andar más.
_____

8 No quiero jugar a la lotería, prefiero gastar el dinero en otra cosa.
_____

9 Quiero hacer algo especial estas navidades, no hacer lo mismo de siempre.
_____

10 No quiero tener siempre tanta prisa, quiero relajarme un poco.
_____

3 Escribe la forma negativa.

1 Dámelo   *No me lo des*
2 Hazlos   _____
3 Díselo   _____
4 Ábrela   _____
5 Tráela   _____
6 Póntelo   _____
7 Tráigalos   _____
8 Llévala   _____
9 Dímelo   _____
10 Póngasela   _____
11 Dígaselo   _____

4 ¿Cuándo se dice…? Relaciona las frases con las situaciones.

1 En una oficina de empleo, un empleado a un joven. ☐ g
2 El padre a su hijo a la hora de dormir. ☐
3 El profesor a sus alumnos. ☐
4 La madre a su hijo pequeño. ☐
5 Alguien a su compañero/a de piso. ☐
6 Una persona en una oficina hablando por teléfono a alguien que quiere entrar. ☐
7 El médico al paciente. ☐
8 El cliente al camarero. ☐
9 Un cliente al vendedor del mercado. ☐
10 Un anuncio de una agencia de viajes. ☐
11 Un cartel en un vagón del metro. ☐

a Espere un momento, por favor.
b Acuéstate ya, son las 10.
c No coma muchas grasas ni dulces.
d Compra tú el periódico, yo no puedo.
f Jorge, no toques eso, es peligroso.
g Escribe aquí tus datos personales.
h No hagáis los ejercicios 3 y 4.
i Pónganos una ración de queso, por favor.
j No entren ni salgan después del toque de silbato.
k Deme un kilo de naranjas, por favor.
l ¡No te pierdas Extremadura!

5 Lee el texto y responde a las preguntas.

España vende la siesta

Una cadena de masajes ofrece un breve sueño de relajación para personas con estrés

La siesta ya se puede comprar. Una empresa barcelonesa oferta en sus establecimientos de salud y belleza un rato de sueño después de un breve masaje antiestrés por 12 euros.

Los científicos han demostrado que la siesta es buena porque es una necesidad biológica. Según el doctor Eduard Estivill, jefe de la Unidad de Trastornos del Sueño: "El cerebro pide desconectar dos veces al día, por la noche y entre las dos y las cuatro de la tarde".

Sin embargo, solo el 20% de los españoles practica esta sana costumbre, a causa del ritmo de la vida moderna.

En estos centros, el cliente primero recibe un masaje antiestrés que dura entre cinco y diez minutos. A continuación, se cubre con una manta y duerme unos veinte o treinta minutos.

Al doctor Estivill, la idea le parece muy buena, siempre que no se duerma más de 30 minutos. Si se duerme más tiempo, la gente despierta de mal humor.

Desde hace tiempo se sabe que dormir la siesta es bueno para el corazón y, sobre todo, mejora el rendimiento intelectual.

(Adaptado de EL PAÍS)

1 ¿Quién vende la siesta?

2 ¿Cuánto cuesta "una siesta"?

3 ¿Cuántos españoles duermen habitualmente la siesta?

4 ¿En qué consiste el tratamiento?

5 ¿Cuánto tiempo es recomendable dormir después de comer?

6 ¿Cuáles son los principales beneficios de dormir la siesta?

6 Relaciona.

1 Cuando Teresa está resfriada ☐
2 Antes de tomar el sol, Manu ☐
3 Cuando a Ignacio le duele la espalda ☐
4 Cuando a Isabel le duele la cabeza ☐
5 Cuando a Lucía le duele el estómago ☐
6 Cuando Pablo se siente sin fuerzas ☐
7 Cuando Laura tiene insomnio ☐
8 Cuando Arturo está estresado ☐
9 Cuando a Eva le duelen las muelas ☐

a se pone crema protectora.
b toma miel con limón y zumo de naranja.
c toma vitaminas.
d toma una aspirina.
e hace dieta.
f no levanta cosas pesadas.
g va al dentista lo antes posible.
h hace ejercicios de relajación.
i toma un vaso de leche caliente antes de acostarse.

7 Escucha la entrevista que le hacen a una actriz y modelo famosa. Señala V o F.

1 Empezó a trabajar en 1987. F
2 Maribel Rojo está soltera. ☐
3 Hace deporte de vez en cuando. ☐
4. No come carne. ☐
5 Le gustan mucho los dulces. ☐
6 No le gusta andar. ☐
7 No se cuida demasiado el cutis. ☐

B Mi jefe está de mal humor

1 Relaciona.

1 abierto		**a** estupendo
2 lleno		**b** cerrado
3 sucio		**c** arreglado
4 libre		**d** ocupado
5 estropeado		**e** limpio
6 fatal		**f** vacío
7 enfermo		**g** descansado
8 cansado		**h** sano

2 Mira los dibujos y completa con un adjetivo de la actividad anterior.

1 Ese taxi está *libre*.

2 La farmacia está _____

3 El teatro está _____

4 La calle está _____

5 El ascensor está _____

6 La botella está _____

7 Ese taxi está _____

3 Completa las frases con los verbos *ser, estar, tener*.

1 A ¿Sabes? He conocido a una chica.
  B ¿Sí? ¿Cómo <u>es</u>?
  A Pues _____ bastante alta, morena. _____ 21 años. _____ el pelo castaño, largo y liso.
  B ¡Vaya! ¿Y a qué se dedica?
  A _____ economista, pero ahora _____ estudiando Derecho.

2 A ¿Qué le pasa a Rosa?
  B Creo que _____ preocupada porque en su empresa _____ despidiendo a mucha gente.

3 A ¿Qué tal el piso nuevo?
  B El piso (1)_____ muy bien, pero el barrio (2)_____ fatal. Las calles (3)_____ sucias, los coches (4)_____ mal aparcados, los teléfonos de las cabinas (5)_____ estropeados, no funcionan. Bueno, menos mal que el parque (6)_____ grande y (7)_____ muchas flores.

4 A ¡Qué coche tan bonito! ¿_____ nuevo?
  B ¡Qué va! Ya tiene ocho años, pero _____ nuevo porque lo uso poco.

5 A ¿Por qué no te tomas ya el café?
  B No puedo, _____ muy caliente.

6 A ¿_____ libre esta silla?
  B No, _____ ocupada.

7 A ¿Qué te pasa?
  B Que _____ harta de limpiar, cocinar, comprar, planchar, _____ harta de todo.

8 Esta película _____ muy aburrida.

9 No te pongas esos pantalones, _____ sucios.

10 A ¿Qué le pasa a Ismael?
   B Nada, _____ que _____ nervioso porque mañana _____ el examen de conducir.

11 La casa de mi primo _____ muy bonita, _____ muchas habitaciones, pero _____ muy lejos del centro de la ciudad.

12 Pedro _____ muy bien preparado, _____ ingeniero, pero, en estos momentos, no _____ trabajo.

C ¡Que te mejores!

1 Completa la tabla con las formas del presente de subjuntivo.

HACER	TENER	IR	SER	ESTAR
haga				
	tengas			
		vaya		
			seamos	
				estéis
hagan				

2 Completa las frases con el verbo en la forma adecuada.

1 Espero que (estar, tú) _estés_ bien.
2 Esperamos que (tener, tú) _____ un buen viaje.
3 Mi madre espera que (encontrar, yo) _____ un buen trabajo.
4 Rosa espera que su novio (venir) _____ el domingo.
5 Yo espero que ellos (hacer) _____ mañana la comida.
6 Espero que (ponerte) _____ el traje nuevo para la boda de Rocío.
7 Roberto espera (encontrar) _____ un buen trabajo pronto.
8 Espero que no (comar) _____ dulces, Pedro, no te sientan bien.
9 Esperamos que (ir, ustedes) _____ a vernos al pueblo.
10 El Presidente espera (ganar, él) _____ las elecciones otra vez.
11 Todos esperan que este año (ganar) _____ la Liga el Real Madrid.
12 Los padres de Teresa esperan que (sacar) _____ buenas notas.
13 Espero que (salir, nosotros) _____ en Nochevieja.
14 Rocío espera que Sofía no (estar) _____ enfadada con ella por olvidarse de su cumpleaños.

3 ¿Qué se dice en estas situaciones?

1 A alguien que está enfermo.
¡Que te mejores!
2 A alguien que sale de viaje.
_____
3 A unos recién casados.
_____
4 A alguien que tiene un examen mañana.
_____
5 A alguien que va a dormir.
_____
6 A alguien que va a una fiesta.
_____
7 A alguien en su cumpleaños.
_____
8 A alguien que va a empezar a comer.
_____

4 Lee y completa el correo electrónico de Bea a Javier.

beca • espero • Este • a • pronto
besos • ~~Hola~~ • apruebo • vacaciones
verte • mejorar • diviertas

¡(1) _Hola_, Javi!

Belén me ha dicho que estás estudiando en París con una (2)_____ Erasmus. ¡Qué bien! ¿Cómo te va? A mí me gustaría ir el año que viene (3)_____ Londres para (4)_____ mi inglés, (5)_____ que me den una beca. Si no tengo beca, iré y me buscaré un trabajo. (6)_____ año estoy estudiando mucho, a ver si (7)_____ todas las asignaturas en febrero y junio.

Pronto son las (8)_____ de Navidad, ¿vas a venir a casa? Espero (9)_____ en la fiesta de Nochevieja, como cada año.

Bueno, Javi, hasta (10)_____, espero que estudies mucho, que te (11)_____ y que me escribas.

Muchos (12)_____ de Bea.

8 El periódico

A **A** Buscando trabajo

1 Escribe los nombres de las profesiones.

1 Arregla todo tipo de motores. Le gusta mucho su trabajo, pero se mancha mucho las manos: _mecánico._

2 Trabaja en un colegio. Enseña Lengua y Literatura: _____

3 Su jefe dice que es muy buen vendedor y atiende muy bien a los clientes: _____

4 Me encanta comer, pero sobre todo me gusta hacer comidas muy ricas: _____

5 Mi trabajo es muy interesante. Estoy siempre viajando y explicando a los turistas las maravillas que visitan: _____

6 Cuando trabajo muchas horas me duelen los ojos. Tengo que utilizar un protector de pantalla en el ordenador: _____

7 A algunas clientas les gusta el pelo liso, otras lo quieren rizado y otras de punta: _____

8 Al escribir una noticia intento ser imparcial, aunque no siempre es fácil: _____

9 Me paso todo el día conduciendo por Madrid. Acabo muy estresado: _____

10 El turno de noche es el más tranquilo. La mayoría de los enfermos están descansando: _____

11 Si conduces muy deprisa, te pone una multa: _____

2 Construye preguntas relacionadas con el trabajo.

¿Trabajas...	... en una oficina?
¿Tienes que...	... hablas otros idiomas?
¿Normalmente	... por la noche?
	... conducir?
	... levantarte temprano?
	... hablas por teléfono?

3 Joana tiene una entrevista de trabajo. Relaciona las preguntas con las respuestas.

JOANA: Buenos días, venía por el anuncio del periódico para la plaza de profesora de Educación Infantil.

DIRECTORA: Sí, muy bien. ¿Qué titulación tienes?

JOANA: _____

DIRECTORA: ¿Tienes experiencia?

JOANA: _____

DIRECTORA: Estupendo, y ahora ¿qué te gustaría saber sobre esta escuela?

JOANA: ¿Qué horario tenéis?

DIRECTORA: _____

JOANA: ¿Qué edad tienen los niños con los que voy a trabajar?

DIRECTORA: _____

JOANA: Prefiero los pequeños. ¿Y el sueldo?

DIRECTORA: _____ ¿De acuerdo? Pues el lunes te esperamos.

a Hay dos turnos: de 8 de la mañana a 3 de la tarde, y de 10 a 5.

b Soy profesora de Educación Infantil.

c Puedes elegir: bebés o niños de uno a dos años.

d Sí, he trabajado un año en una escuela del Ayuntamiento.

e 1000 € al mes durante el primer año.

B Sucesos

1 Observa el programa de actividades que realizó "el Dioni" el día de su famoso atraco. Describe qué estaba haciendo en cada momento.

7:30 se ducha	**21:30** se registra en un hotel de 5 estrellas
8:00 desayuna en casa	**22:00** cena en el mejor restaurante de Río de Janeiro
9:00 se dirige a su trabajo	
9:30 conduce su furgón de seguridad	**24:00** llama por teléfono a su madre para desearle buenas noches
10:00 recoge 180 000 € en un banco	
10:45 abandona su furgón en un aparcamiento público.	
11:30 vuela con destino a Brasil con su botín.	

1 A las 7:30 _se estaba duchando._
2 A las 8:00 _____
3 _____
4 _____
5 _____

6 _____
7 _____
8 _____
9 _____
10 _____

2 Escribe una frase para cada dibujo utilizando los verbos del recuadro.

> *jugar* sonar **pasear** llamar **llegar** cenar hacer la comida
> **morder** ver **robar** **empezar a llover** hacer una foto

1 _(Él) estaba haciendo la comida cuando el cartero llamó a la puerta._
2 _____
3 _____
4 _____
5 _____
6 _____

3 Completa las siguientes frases con los verbos más adecuados.

1 Cuando _____ el despertador, los niños *estaban durmiendo.*

2 Los ladrones _____ en el banco mientras el guardia _____ por internet con su novia.

3 La película _____ cuando _____ en el cine.

4 Juan _____ en el supermercado y _____ con su mejor amigo.

5 Cuando _____ por teléfono, yo _____ la tele.

6 El lunes _____ a la oficina a las 8 de la mañana y mi jefe ya _____.

estaba hablando	robaron
estaba trabajando	entramos
estaba viendo	se encontró
estaba cenando	sonó
estaban durmiendo	llamaste
estaba comprando	trabajé
	llegué

4 Lee las noticias del periódico y contesta a las preguntas.

Noticias

LLEGAN A ESPAÑA LOS PESCADORES DEL BARCO GALLEGO

Han llegado a España los pescadores del barco gallego que naufragó en las costas de Irlanda el pasado día 19 de diciembre. El naufragio sucedió en medio de una fuerte tormenta cuando el barco chocó contra unos acantilados y se partió en dos. Decenas de paisanos de distintos puntos de Galicia los han recibido en el aeropuerto de Barajas. Todos han llegado sanos y salvos.•

ATROPELLAN A UN NIÑO A LA SALIDA DEL COLEGIO

La policía todavía no ha encontrado al autor del atropello de un niño, a la salida del colegio, que se produjo ayer en la calle Altamirano de Madrid. Numerosos testigos que presenciaron el accidente han declarado esta mañana en las dependencias policiales.•

LA PERLA DE MANILA

La policía ha detenido a los autores del robo de la joyería, La Perla de Manila. El atraco tuvo lugar el sábado, 16 de enero. La policía ha detenido a tres jóvenes que han pasado a disposición judicial.•

MEJORAR LA SEGURIDAD EN LA FÓRMULA UNO

La Federación Internacional del Automóvil (FIA) ha ampliado las medidas de seguridad en los Grandes Premios de Fórmula Uno, debido al accidente que tuvo lugar en el Gran Premio de Alemania, donde un cámara de la BBC fue golpeado en la cabeza por un neumático mientras los mecánicos lo cambiaban. A partir de ahora, solo puede haber trabajadores de los equipos (con casco) en las zonas de abastecimiento mecánico, donde la velocidad de entrada ya no puede ser mayor de 80 km por hora.•

1 ¿Qué delito cometieron los jóvenes a los que detuvo ayer la policía?
_____

2 ¿En qué situación se encuentran ahora los detenidos?
_____

3 ¿Qué problema tuvieron los marineros que llegaron ayer a Barajas?
_____

4 ¿Por qué se produjo el naufragio?
_____

5 ¿Quién fue a recibirlos al aeropuerto?
_____

6 ¿Quién atropelló ayer a un niño en Madrid?
_____

7 ¿Dónde se produjo el accidente?
_____

8 ¿Qué han hecho esta mañana los testigos?
_____

9 ¿Por qué la FIA ha ampliado las normas de seguridad en los Grandes Premios de Fórmula Uno?
_____

10 ¿Qué dos medidas de seguridad ha tomado la FIA?
_____

C Excusas

1 Completa la siguiente entrevista a un residente del centro de Madrid.

A (1) *¿Cuántos años tienes?*
B 55.

A (2) ¿_____?
B Sí, estoy casado y tengo dos hijos.

A (3) ¿_____?
B En la calle Goya. Es una casa bastante grande y luminosa.

A (4) ¿_____?
B ¿Lo mejor de vivir en el centro? Puedo ir andando a mi trabajo y hay muchas tiendas cerca de casa.

A (5) ¿_____?
B Lo peor es el aparcamiento. Es horroroso.

A 6) ¿_____?
B No tengo ningún restaurante favorito. Pero cuando salimos en familia, elegimos un restaurante italiano.

A (7) ¿_____?
B La compra la solemos hacer en un supermercado cerca de casa.

A (8) ¿_____?
B En mi tiempo libre, lo que más me gusta es salir de Madrid y andar por el campo.

2 🔊9 Escucha y comprueba.

3 Pasa las preguntas del ejercicio anterior a estilo indirecto.

1 *La entrevistadora le preguntó que cuántos años tenía.*
2 _____
3 _____
4 _____
5 _____
6 _____
7 _____
8 _____

4 Pasa las respuestas del ejercicio anterior a estilo indirecto.

1 *El señor le contestó que tenía 55 años.*
2 _____
3 _____
4 _____
5 _____
6 _____
7 _____
8 _____

5 Pasa los siguientes chistes a estilo indirecto.

El paciente le dijo al médico que _____
_____
_____

Y el doctor le respondió que _____
_____
_____

_____
_____
_____
_____

Practica más 4

1 Lee los anuncios y completa el hueco con la profesión correspondiente.

conductor • cocinero/a • profesor/a
agente de turismo • vendedor

Se necesitan _____ de automóviles para exposición. Con mucha experiencia. Edad entre 25 y 35 años. Llamar al tel.: 91-435 82 65

A

_____ **para restaurante vegetariano, zona Centro. Titulación y experiencia. Enviar CV con foto a Restaurante Europa, C/ Alicante, 15, 3.º D, Madrid 29001.**

B

AGENCIA DE VIAJES necesita _____. Titulado, con amplio dominio de inglés y alemán. Enviar curriculum vitae a tours@ hotmail.com

C

_____ **con experiencia y conocimientos de mecánica. Enviar currículo a mercauto@yahoo.com**

D

_____ de piano y solfeo con titulación precisa escuela de música. Con experiencia. Llamar urgentemente de 11.30 a 13.30. Tel.: 683 24 56 06.

E

2 En qué anuncios piden:

1 Titulación ☐ ☐ ☐
2 Enviar *curriculum vitae* ☐ ☐ ☐
3 Experiencia ☐ ☐ ☐ ☐
4 Idiomas ☐
5 Conocimientos de mecánica ☐

3 Completa la tabla.

1 el *periodista*	*la periodista*
2 el	la peluquera
3 el dependiente	
4 el	la guía
5 el conductor	
6 el	la programadora
7 el	la taxista
8 el	la jueza

4 ¿Dónde trabaja cada uno de los anteriores profesionales?

1 *En un periódico.*
2 _____
3 _____
4 _____
5 _____
6 _____
7 _____
8 _____

5 Escribe la orden contraria.

1 Ponte este jersey, te queda muy bien.
   No te pongas este jersey, te queda mal.
2 Siéntese aquí, la mesa está libre.
   _____
3 Coge mi coche, está arreglado.
   _____
4 Limpia la habitación, está sucia.
   _____
5 Llena la jarra del agua, está vacía.
   _____
6 Ve a comprar el periódico, el quiosco está abierto.
   _____
7 Cómprate este CD, está estupendo.
   _____
8 Tómate el café, está casi frío.
   _____
9 Ve a ver esa película, es muy buena.
   _____

6 ¿Qué se dice en estas situaciones?

1 Un chico de 15 años a su padre, cuando necesita dinero para comer en el instituto.
Papá, dame dinero para comer, por favor.

2 El profesor a sus alumnos antes de un examen. Ellos están mirando los libros.
_____

3 Una señora al camarero en un restaurante. Necesita una cucharilla.
_____

4 Una madre a sus hijos que llevan mucho tiempo viendo la tele.
_____

5 Un padre a su hija al despertarle por la mañana.
_____

6 Un médico a su paciente que fuma y no hace ejercicio.
_____

7 Un profesor a sus estudiantes que están hablando demasiado alto.
_____

8 Un policía a un conductor que iba muy rápido, en la carretera.
_____

9 Una madre a su hijo que está comiendo mucho helado.
_____

10 Un director de un banco a uno de sus empleados que sale al bar a tomar café con mucha frecuencia.
_____

7 Sigue el modelo.

1 Ana / traer el pan.
Yo espero que Ana traiga el pan.

2 (él) / venir a verme.
_____

3 (vosotros) / escribir pronto.
_____

4 mi equipo / jugar bien.
_____

5 mi hija / aprobar.
_____

6 (vosotros) / estar bien.
_____

7 (tú) / venir a mi boda.
_____

8 (tú) / mejorarse.
_____

8 Reescribe los diálogos en estilo indirecto como en el ejemplo.

Belén: No encuentro mi bolígrafo.
Julio: Lo tengo yo.
Belén dijo que no encontraba su bolígrafo. Julio le dijo que lo tenía él.

1
Isabel: ¿Tienes hambre?
Andrés: Sí, tengo mucha hambre. ¿Preparamos la cena?
_____
_____

2
Luisa: ¿Dónde te alojas cuando vas a Barcelona?
Tomás: Siempre voy a casa de mi hermano.
_____
_____

3
Ana: ¿Qué quieres comer?
Juan: Me da igual. Me gusta todo.
_____
_____

9 Completa con uno de los verbos del recuadro en el tiempo adecuado, infinitivo o presente de subjuntivo.

> jubilarse • ~~tener~~ • llamar • casarse • venir
> salir • hacer • aprobar • sacarse

1 Espero que *tengas* buen viaje.
2 Esperamos que (vos.) _____ a vernos a nuestra casa.
3 Tu madre espera que la _____ por teléfono.
4 Ellos esperan que su hijo _____ todas las asignaturas en junio, pero el hijo no estudia nada.
5 Olga quiere _____ en junio, pero su novio no tiene prisa.
6 Rosa, espero que _____ los deberes antes de ver la tele.
7 Espero que no _____ a la calle, con el resfriado que tienes.
8 Carlos espera _____ el carné de conducir antes de Navidad.
9 Nosotros queremos que mi padre _____ pronto porque está muy cansado.

Predicciones

1 Elige la frase de significado similar al original.

1 David lleva viajando por África un mes. ☐
  a El viaje de David acabó hace un mes.
  b David empezó su viaje por África hace un mes y sigue allí.
  c David estuvo en África el mes pasado.

2 Ana y Antonio llevan programando el ordenador toda la mañana. ☐
  a Ellos han empezado a programar el ordenador a primera hora de la mañana.
  b Han acabado de programar el ordenador.
  c Programan el ordenador todas las mañanas.

3 La lavadora lleva funcionando desde las diez. ☐
  a La lavadora acabó de funcionar a las diez.
  b La lavadora ha empezado a funcionar a las diez y aún no ha terminado.
  c La lavadora funciona siempre a las diez.

4 Ángela lleva tocando el violín desde que tenía diez años. ☐
  a Ángela empezó a tocar el violín a los diez años y lo dejó.
  b Ángela tocó el violín durante diez años.
  c Ángela toca el violín desde que tenía diez años.

5 Charo y Carlos llevan viviendo juntos desde la universidad. ☐
  a Viven juntos desde que terminaron la carrera.
  b Viven juntos desde que eran estudiantes universitarios.
  c Vivieron juntos cuando estaban estudiando en la universidad.

2 Completa las frases utilizando la forma *llevar* + gerundio.

1 Cristina _lleva viendo_ (ver) la televisión dos horas.
2 Juan y Carolina _____ (trabajar) desde las siete de la mañana.
3 _____ (nevar) más de dos días.
4 ¿Cuánto tiempo (tú) _____ (estudiar) español?
5 María _____ (salir) con Luis dos años.
6 ¿Cuánto tiempo (nosotros) _____ (ahorrar) para comprarnos el coche?
7 (Yo) _____ (buscar) las llaves toda la mañana y no las encuentro.
8 ¿Cuánto tiempo (vosotras) _____ (hablar) por teléfono?
9 (Nosotros) _____ (esperar) más de dos horas.
10 ¿Cuánto tiempo (vosotros) _____ (buscar) piso?

3 Sigue el ejemplo.

1 Carlos está durmiendo. Se acostó a las tres y ahora son las seis.
  Carlos lleva tres horas durmiendo.
2 Rosa está tocando el piano. Empezó a las cuatro y son las cinco y media.
  _____
3 Emilio trabaja en un taller mecánico. Entró allí en el año 2004.
  _____
4 Julio y yo salimos juntos. Nos conocimos en abril.
  _____
5 Elena juega a baloncesto en el Juventud. Entró hace dos meses.
  _____
6 Ya está funcionando el lavaplatos. Lo he puesto hace un cuarto de hora.
  _____
7 Estamos viendo la película de Pedro. Ha empezado hace un rato.
  _____

B ¿Qué pasará?

1 🔊10 Es Nochevieja y Adrián está decidido a cambiar su vida en Año Nuevo. Escucha y señala V o F.

1 Solo saldrá los fines de semana. ☑
2 No irá a clase todos los días. ☐
3 Los fines de semana no se levantará temprano. ☐
4 No comerá bocadillos ni tonterías. ☐
5 Discutirá más con sus padres. ☐
6 Copiará en los exámenes para aprobar. ☐
7 Ayudará en las tareas de la casa. ☐
8 Verá más la tele. ☐
9 Ya hizo la misma lista el año pasado. ☐

2 Completa las frases con el futuro de los verbos entre paréntesis.

HOTEL
Sol y playa
El más moderno de la costa

- 3 piscinas climatizadas
- campo de golf
- aire acondicionado
- cerca del aeropuerto

INAUGURACIÓN: **Próximo mes de junio**

1 Este hotel (ser) _será_ el más grande de la costa mediterránea.
2 El hotel se (abrir) _____ en el mes de junio.
3 (haber) _____ tres piscinas climatizadas.
4 Los clientes (poder) _____ jugar al golf.
5 Las habitaciones (tener) _____ aire acondicionado.
6 El hotel (estar) _____ cerca del aeropuerto.

3 Completa los siguientes titulares del periódico con los verbos del recuadro en futuro.

> *repartir pasar **viajar** llover **venir***
> ***decir** votar **firmar** poder ~~hablar~~*

1 El presidente del Gobierno _hablará_ mañana por televisión.

2 Los sindicatos _____ un nuevo acuerdo con las empresas.

3 La Cruz Roja _____ ayuda entre los heridos.

4 El año próximo cinco astronautas _____ de nuevo a la Luna.

5 Los extranjeros sin trabajo no _____ entrar en el país.

6 En los próximos días _____ en el norte del país.

7 El 75% de los europeos _____ en las próximas elecciones.

8 Maradona _____ a la historia del fútbol como el n.°1 de todos los tiempos.

9 El próximo verano _____ más de un millón de turistas a las costas españolas.

10 El entrenador _____ la alineación para el partido en la rueda de prensa.

4 Relaciona las acciones (1-6) con sus resultados (a-f). Después haz frases como en el ejemplo.

1 (nosotros) / fumar en el autobús
2 el jefe / subir el sueldo a Alberto
3 el despertador / no sonar
4 mi hija / ir a la universidad
5 hacer buen tiempo
6 (vosotros) / ir a Granada

a (yo) / levantarse tarde
b (vosotros) / ver la Alhambra
c los viajeros / protestar
d (ella) / estudiar Informática
e (él) / comprarse un coche nuevo
f (nosotros) / ir a dar un paseo

1 *Si fumamos en el autobús, los viajeros protestarán.*
2 _____
3 _____
4 _____
5 _____
6 _____

5 Pon el verbo en futuro o en imperativo.

1 Si quieres entrar en el concierto, (no olvidarse) <u>no te olvides</u> de la entrada.

2 Si no llego puntual, Joana (enfadarse) _____.

3 Si venís con nosotros, (darse) _____ prisa.

4 Si conduzco por la noche, (cansarse) _____ mucho.

5 Si tienes frío, (cerrar) _____ la ventana.

6 Si vais al teatro, (llamar) _____ a Luis por teléfono.

7 Si me llama por teléfono, (ir) _____ juntos al cine.

8 Si no llevas el paraguas, te (mojar) _____.

9 Si tienes mucha hambre, (comer / tú) _____ ya.

10 Si os sobra una entrada, (llamar / a mí) _____.

6 Lee el texto sobre el horóscopo y contesta a las preguntas.

HORÓSCOPO

 ARIES

Si sus intenciones son buenas, el destino le premiará. Pero si solo busca su propio interés, se le cerrarán todas las puertas.

 TAURO

Sus relaciones familiares atraviesan un momento complicado. No tenga miedo al futuro. Se encontrará mejor si practica algún deporte.

 GÉMINIS

Esta semana no será buena para los negocios. Si se esfuerza en el trabajo sus jefes le felicitarán.

 CÁNCER

Tendrá deseos de adquirir conocimientos. El dinero le traerá problemas.

 LEO

Buen momento con su pareja. Si no tiene, la encontrará esta semana.

 VIRGO

Usted tendrá muchos problemas próximamente. Si no encuentra solución, pida ayuda.

1 ¿Qué hará Virgo si no encuentra solución a sus problemas?
_____

2 ¿Qué les sucederá a los Aries con buenas intenciones?
_____

3 ¿Qué deberá hacer Tauro para sentirse mejor?
_____

4 ¿Qué tipo de problemas tendrán Géminis y Cáncer?
_____

5 ¿Qué encontrarán los Leo solitarios esta semana?
_____

C ¿Qué te parece este…?

1 Lee el texto y corrige las siguientes afirmaciones.

Un encuentro extraño

El incidente ocurrió en la sierra de Madrid el 3 de diciembre de 2003. Iba caminando con mi perro y mirando tranquilamente las estrellas cuando, de repente, vi una luz roja. Se movía rápidamente hacia mí y luego descendió lentamente.

Después de un minuto giró hacia el este, increíblemente deprisa. No tengo ni idea de lo que era, pero no parecía de este mundo. Más tarde llamé por teléfono a la policía y les conté la historia. Ellos no me creyeron, pero yo estoy segura de que era un ovni.

1 El encuentro ocurrió en la playa.

_____

2 El cielo estaba nublado.

_____

3 La protagonista vio un rayo.

_____

4 El objeto avanzaba despacio.

_____

5 Se lo contó a su familia.

_____

6 Ella creyó que era un avión.

_____

7 La policía estuvo de acuerdo con ella.

_____

2 Relaciona cada adjetivo con su contrario.

1 horrible		**a**	aburrido/a
2 divertido/a		**b**	alegre
3 bonito/a		**c**	precioso/a
4 triste		**d**	peor
5 mejor		**e**	feo/a
6 lento/a		**f**	corto/a
7 largo/a		**g**	típico/a
8 original		**h**	rápido/a

3 Lee el folleto sobre un concurso literario y luego contesta a las preguntas.

"Artículo sobre un viaje"

La Asociación Cultural **"Viajar Es Vivir"** de Carabanchel convoca por décimo año un concurso de relatos con el fin de estimular la escritura relacionada con los viajes.

CONCURSO

PARTICIPANTES
Podrán presentarse personas de todas las edades residentes en España.

MODALIDAD Y TEMA
El texto será un relato de un viaje, y el tema, un viaje realizado por el autor.

CONDICIONES
La obra debe estar escrita en castellano.
Cada participante solo podrá presentar una obra.
La extensión máxima será de 6000 palabras.

PREMIOS
Categoría juvenil, para participantes de 14 a 25 años:
Primer premio: 400 euros.
Segundo premio: 200 euros.
Categoría general, para el resto de las edades:
Primer premio: 500 euros.
Segundo premio: 250 euros.

PRESENTACIÓN DE OBRAS Y DOCUMENTACIÓN
Los relatos se presentarán en un sobre cerrado en el local de la asociación (c/ La Oca, 18, 28019 Madrid) o se enviarán por correo electrónico a viajaresvivir@asociación.es. Deberá adjuntarse una fotocopia del DNI o pasaporte.
No se aceptarán trabajos presentados después del 30 de septiembre a las 24 h.

1 ¿Cuántos años lleva la asociación convocando este concurso?

_____

2 Si eres español y vives en Lisboa, ¿puedes presentarte al concurso?

_____

3 ¿Podrás presentar un trabajo de 5500 palabras?

_____

4 Si tienes 32 años y te toca el segundo premio, ¿cuánto dinero te corresponderá?

_____

5 ¿Qué documentos debes presentar, además del trabajo literario?

_____

6 ¿Dónde está el centro de la "Asociación Viajar Es Vivir"?

_____

¿Qué piensas hacer estas vacaciones?

1 Lee el folleto de un viaje a Brasil y responde a las preguntas.

Contrastes de BRASIL

9 DÍAS / 7 NOCHES

Salidas martes y sábados

DÍA 1.º Madrid – Río de Janeiro

Presentación en el aeropuerto 2 horas antes de la salida para embarcar en vuelo directo. Llegada y traslado al hotel.

DÍA 2.º Río de Janeiro

Desayuno. Día libre. Podrá visitar opcionalmente la famosa estatua El Cristo del Corcovado y la roca del Pan de Azúcar, con subida en un teleférico con excelentes vistas panorámicas.

También puede disfrutar de las preciosas playas de Copacabana e Ipanema.

DÍA 3.º Río de Janeiro – Iguazú

Desayuno. Traslado al aeropuerto para embarcar en vuelo regular con destino a Iguazú. Llegada y traslado al hotel.

Excursión incluida al Parque Nacional de Iguazú del lado brasileño, uno de los mayores espectáculos de cataratas del mundo.

DÍA 4.º Iguazú

Desayuno. Día libre. Excursión opcional al Parque Nacional de Iguazú del lado argentino, de belleza impresionante.

También podrá hacer una excursión en lancha rápida, tipo zodiac, por el río Iguazú, hasta las mismas cataratas.

DÍA 5.º Iguazú – Salvador de Bahía

Desayuno. Traslado al aeropuerto, llegada y alojamiento en el hotel elegido en Salvador de Bahía.

DÍA 6.º Salvador de Bahía

Desayuno. Visita de la ciudad y centro histórico de medio día. El Pelourinho es el mayor conjunto colonial de América Latina, considerado Patrimonio Cultural de la Humanidad por la UNESCO. Tarde libre para compras de artesanía indígena en el mercado Modelo.

DÍA 7.º Salvador de Bahía – Río de Janeiro

Desayuno. Tiempo libre antes de viajar a Río de Janeiro.

DÍA 8.º Río de Janeiro – Madrid

Desayuno. Mañana libre para últimas compras. Traslado al aeropuerto para embarcar en vuelo directo con destino a Madrid. Noche a bordo.

Régimen: AD (alojamiento y desayuno).

PRECIO DEL PAQUETE

Junio: 1077 €   Julio: 1140 €
Agosto: 1271 €   Septiembre: 1208 €
Octubre: 1146 €

Suplemento por habitación individual: 200 €

1 ¿Qué podemos ver en Río de Janeiro?

_____

2 ¿Cuándo veremos las cataratas de Iguazú del lado brasileño?

_____

3 ¿La excursión en lancha rápida por el río Iguazú está incluida en el paquete o hay que pagarla aparte?

_____

4 ¿Qué se hace el 6.º día por la tarde?

_____

5 ¿Cuánto cuesta el viaje para una persona sola en el mes de septiembre?

_____

6 ¿Va incluida la cena en el paquete?

_____

2 Mira los dibujos y describe qué va a pasar.

| salir | ~~ganar~~ | ver | caerse | tener (x 2) |

1 Fernández va a _ganar_ la carrera.
2 Carmen y Fernando _____ una película.
3 Ese coche _____ un accidente.
4 Clarita _____ en la piscina.
5 Mi hermana _____ un bebé.
6 Mi familia y yo _____ de vacaciones.

3 🔊11 Escucha a estas personas hablar de sus vacaciones y contesta a las preguntas.

1 Manuela González. Vacaciones familiares.
   a ¿Dónde pasan las vacaciones?
   _____

   b ¿Qué hacen sus hijas?
   _____

   c ¿Qué hacen Manuela y su marido por las tardes?
   _____

   d ¿Cuándo son las fiestas del pueblo?
   _____

2 Eusebio y Paloma. Deportes de aventura.
   a ¿Qué deportes practican en invierno?
   _____

   b ¿A qué parte de España van en verano?
   _____

   c ¿Qué buscan al hacer deportes de aventuras?
   _____

3 Elena, Javier y Ana María. Cursos de verano.
   a ¿Cuánto tiempo hace que van a los cursos de verano?
   _____

   b ¿Por qué hacen este tipo de vacaciones?
   _____

   c ¿Qué es lo más interesante de los cursos?
   _____

   d ¿Qué actividades tienen por la tarde?
   _____

Universidad Menéndez Pelayo.

B Cuando tenga tiempo

1 Relaciona.

1 Cuando te vayas de vacaciones, [b]
2 Cuando tengas tiempo, ☐
3 Cuando venga Margarita, ☐
4 Cuando tenga tiempo, ☐
5 Cuando necesites algo, ☐
6 Cuando tenga dinero, ☐

a limpia los cristales.
b escríbeme una postal.
c llámame por teléfono.
d iré a ver la exposición de pintura.
e pienso ir de viaje a México.
g dale este libro, es suyo.

2 Elige el verbo adecuado.

1 Yo conocí a Pepe cuando vivíamos / vivamos en Valencia.
2 Mi hermana vendrá cuando tiene / tenga vacaciones.
3 ¿Cuándo vas / vayas a cambiarte de casa?
4 ¿Cuándo has ido / vayas a la exposición de Picasso?
5 Cuando pueda / podré, tengo que ir a ver la última película de Almodóvar.
6 Antes, cuando era / sea más joven hacía mucho deporte.
7 Cuando me jubile / jubilo, me compraré un apartamento en la playa y viviré siempre al lado del mar.
8 Yo cuando sea / soy mayor, seré azafata.
9 Yo quiero ser mayor de edad porque cuando seas / eres mayor puedes hacer lo que quieres, sin dar explicaciones a tus padres.
10 Cuando terminamos / terminemos de comer, nos fuimos al cine.
11 A ¿Desde cuándo trabajes / trabajas en tu empresa?
   B Empecé cuando tenga / tenía 25 años.
12 Cuando llegues / llegas al aeropuerto, avísame para ir a recogerte.
13 No sé cuándo sea / es el cumpleaños de Ana. Cuando sea / es, recuérdamelo para felicitarla.

3 Completa las frases con el verbo más adecuado.

1 Te escribiré cuando (llegar) _____ a Londres.
2 Cuando (poder, tú) _____, compra el periódico.
3 Yo voy al cine cuando (poder) _____.
4 A ¿Cuándo (ir, tú) _____ a ver a tus padres?
   B Cuando (terminar) _____ este trabajo.
5 Llámame cuando Rosa (salir) _____ del hospital.
6 Los vecinos se irán a vivir al campo cuando (jubilarse) _____.
7 Mis padres, cuando (jubilarse) _____ hicieron un viaje por toda Europa.
8 Cuando (volver, Vdes.) _____ a su país, no se olviden de nosotros.
9 Ayer, cuando (salir, nosotros) _____ del teatro vimos un accidente en la Gran Vía.
10 A ¿Cuándo (empezar, tú) _____ a trabajar?
   B Cuando (terminar) _____ mis estudios.
   A ¿Y cuándo (terminar) _____ tus estudios?
   B Cuando (aprobar) _____ las dos asignaturas que me quedan.

4 Escribe dos párrafos breves a partir de estos comienzos. Escribe primero sobre tus hábitos en el pasado y luego de tus planes futuros.

1 Hace 10 años, cuando era más joven _____
_____
_____
_____
_____
_____

2 Dentro de 10 años, cuando sea mayor _____
_____
_____
_____
_____

C ¿Para qué sirve esto?

1 Completa las definiciones con una expresión del recuadro.

> un aparato   una actividad   ~~una persona~~ x2
> un objeto   un lugar (x2)   una película
> un mueble   una especie   una imagen

1 Un peluquero es <u>una persona</u> que peina y corta el pelo.
2 Una maleta es _____ de caja con asas que sirve para guardar y transportar ropa en los viajes.
3 Una playa es _____ lleno de arena (o piedras) en la orilla del mar, donde la gente toma el sol.
4 Un recepcionista es _____ que atiende al público a la entrada de un hotel, un hospital, etc.
5 Una mesa es _____ compuesto de una tabla horizontal y varias patas.
6 Un botón es _____ pequeño, normalmente redondo que se cose a la ropa para unir dos partes.
7 Un horno es _____ donde se asan alimentos.
8 Un bosque es _____ poblado de árboles.
9 Una sombra es _____ oscura que proyecta un cuerpo sobre una superficie.
10 Un trabajo es _____ humana que produce una recompensa económica.
11 Un documental es _____ instructiva o informativa.

3 Escribe las frases otra vez con el verbo que significa lo contrario.

> suspender • llegar • volver • pagar
> vender • responder • apagar
> traer • terminar • estropear

1 ¿Has empezado ya el trabajo?
<u>¿Has terminado ya el trabajo?</u>
2 Ayer compré dos libros.
_____
3 ¿Puedes encender la luz, por favor?
_____
4 Marisa ha aprobado el examen de conducir.
_____
5 El avión salió a las 6.30.
_____
6 Este mecánico ha arreglado el coche.
_____
7 ¿Quién ha preguntado eso?
_____
8 María ha llevado al niño al colegio.
_____
9 Nosotros salimos de casa a las ocho de la mañana.
_____
10 Tengo que cobrar el dinero de esta factura.
_____

2 Cosas de la oficina. Relaciona cada objeto con su definición.

a impresora ☐
b ordenador ☐
c agenda ☐
d sellos ☐
e calendario ☐
f maletín ☐
g archivador ☐

1 Cuaderno donde se anotan datos de interés personal, por ejemplo, números de teléfono.
2 Pequeño cuadrado de papel que se pega en las cartas o paquetes para enviarlos por correo.
3 Documento en el que se registran los días del año, las semanas y los meses.
4 Especie de caja pequeña con asas para guardar y transportar papeles.
5 Máquina electrónica que puede almacenar gran cantidad de datos y permite numerosas operaciones.
6 Máquina conectada al ordenador que imprime la información sobre papel.
7 Mueble o carpeta que se utiliza para guardar y ordenar papeles antiguos.

Practica más 5

1 ¿Cuánto tiempo lleva sucediendo esto?

1 Ahora está lloviendo. Empezó hace dos horas.
Lleva lloviendo dos horas.

2 Alberto está estudiando inglés. Empezó hace dos años.
_____

3 Estoy aprendiendo a conducir. Empecé en diciembre.
_____

4 Irene y Julián están buscando trabajo. Empezaron en verano.
_____

5 María está trabajando en Sevilla. Empezó el 20 de febrero.
_____

6 Mi hermano y yo vivimos en Salamanca. Nos fuimos el curso pasado.
_____

7 Estoy escribiendo una novela. Empecé hace seis meses.
_____

2 Pregunta cuánto tiempo llevan sucediendo estas cosas.

1 Está lloviendo.
¿Cuánto tiempo lleva lloviendo?

2 Julia toca la flauta.
_____

3 Me duele la espalda.
_____

4 Juan vive en el campo.
_____

5 Mis amigos cantan en un coro.
_____

6 Antonio y yo jugamos en el mismo equipo.
_____

7 Estoy trabajando en Málaga.
_____

8 Mis padres y yo estamos esperando a mi hermano.
_____

3 Relaciona.

1 Yo creo que ☐
2 Yo pienso ☐
3 A mí me molesta ☐
4 A mí me molestan ☐
5 A ellos no les importan ☐
6 *A mí no me importa* Ⓓ
7 A mí me gusta ☐
8 A nosotros nos gustan ☐

a la gente que habla muy alto en los bares y en la calle.
b los problemas de otros países.
c la comida española es muy rica y variada.
d madrugar.
e que mucha gente no tiene conciencia ecologista.
f mucho los ruidos de la calle.
g los jóvenes que son rebeldes e inconformistas.
h ir al campo los fines de semana.

4 Completa la postal con los verbos del recuadro en el tiempo adecuado. Sobran dos verbos.

> ~~estar~~ (x 4) • ser (x 2) • ver • comprar
> andar • hacer • llegar • recibir

Queridos hermanos:
¿Qué tal estáis? Ahora (1) *estamos* en Salvador de Bahía, (2)_____ una ciudad preciosa. Lo más bonito es el barrio colonial, que (3)_____ muy bien conservado. Ahí (4)_____ muchas cosas de artesanía. Ayer (5)_____ en las cataratas de Iguazú desde el lado argentino e (6)_____ la excursión en la lancha rápida: (7)_____ muy divertido porque nos mojamos mucho, pero a veces yo tenía un poco de miedo. Ya (8)_____ las fotos cuando (9)_____ a casa. ¿Y qué tal vosotros? Esperamos que (10)_____ bien.

Un abrazo, Juanjo y Yolanda

5 Completa las frases con la forma correcta del verbo.

1 Si _____ (tener/tú) frío, _____ (cerrar/tú) la ventana.

2 _____ (ir/yo) a la fiesta si me _____ (invitar/ellos).

3 Si _____ (conducir/tú) tan rápido, te _____ (parar) la policía.

4 Si _____ (beber/tú) no _____ (conducir/tú).

5 Si no _____ (haber) ningún problema, te _____ (enviar/yo) el paquete por correo.

6 ¿_____ (venir/tú) con nosotros si _____ (ir/nosotros) al teatro?

7 Si no _____ (pagar/tú) el recibo te _____ (cortar/ellos) la luz.

8 _____ (llamar/tú) si _____ (tener/tú) tiempo.

6 Subraya el tiempo adecuado.

1 Esta casa la compré cuando nos casemos / *casamos*.

2 Cuando voy a las rebajas, siempre compro / compré algo.

3 Cuando lleguéis al aeropuerto llamaréis / llamad por teléfono.

4 Cuando regrese os contaré / os contaba mi viaje.

5 Cuando vayamos a Cádiz, tomamos / tomaremos el sol.

6 Cuando visité a tu hermano le daré / di tu regalo.

7 Cuando bebas no conduces / conduzcas.

8 Cuando llueve nunca llevo / llevaba el paraguas.

9 Cuando te levantes te hacía / haré el desayuno.

10 Cuando era joven pasó / pasaba varios años en Brasil.

7 Explica lo que significan las siguientes palabras relativas a personas, cosas o lugares.

1 arquitecto / diseñar edificios
Un arquitecto es una persona que diseña edificios.

2 vegetariano / comer verduras.
_____

3 zapatería / vender zapatos
_____

4 frigorífico / conservar alimentos
_____

5 cirujano / operar a enfermos
_____

6 parque / jugar los niños
_____

8 Escribe frases condicionales como en el ejemplo.

1 Alicia / comprar / coche nuevo / tocar / la lotería.
Alicia se comprará un coche nuevo si le toca la lotería.

2 Mis amigos / ir / Barcelona / tener / dinero.

3 (Tú) / sacar / buenas notas / estudiar / mucho.
_____

4 (Nosotros) salir / de paseo / Juan / llegar / pronto.
_____

9 Escribe sobre planes con *ir* + infinitivo.

1 (yo) / no jugar al tenis mañana.
No voy a jugar al tenis mañana.

2 (ellos) / casarse mañana.
_____

3 ¿(tú) / ver a Tomás esta noche.
_____

4 llover mañana.
_____

5 ¿Cuándo / (ellos) / ir a Barcelona?
_____

6 ¿Qué / (vosotros) / hacer esta tarde?
_____

7 Juan / estar en Salamanca la semana próxima.
_____

8 ¿Quién / ir a la fiesta el sábado?
_____

9 (yo) / comprar un coche nuevo la próxima semana.
_____

10 Alejandro Sanz / cantar en Gijón el mes de septiembre.
_____

10 Haz preguntas con *ir* + infinitivo.

1 He ganado mucho dinero. (¿Qué / hacer con él?)
¿Qué vas a hacer con él?

2 Vamos a ir a una fiesta. (¿Qué / llevar puesto?)
_____

3 Van a ir a la ópera. (¿Qué / oír?)
_____

4 Ángel se ha comprado un cuadro. (¿Dónde / ponerlo?)
_____

5 Voy a organizar una cena. (¿A quién / invitar?)
_____

Transcripciones

UNIDAD 1

B Duermo poco

4 Pista 1

A Lucía, ¿puedes hablarnos de ti?

B Sí, claro. Yo soy profesora de instituto, estoy casada, tengo 40 años y un hijo, Adrián, de 16 años.

A ¿Qué haces normalmente?

B Me levanto a las 6.30, me ducho y preparo el desayuno para Adrián, que siempre se levanta demasiado tarde. Mi marido trabaja en una empresa de publicidad y se levanta a las 7.30, y desayuna más tarde porque entra a las nueve. Va en metro al trabajo. Yo voy en coche porque mi instituto está en un pueblo a unos 14 km de Madrid. Empiezo las clases a las 8.30. Adrián y yo salimos juntos de casa a las ocho menos cinco, para llegar a tiempo a la primera clase.

A ¿Dónde coméis?

B Adrián y yo comemos en casa cuando llegamos, a las tres de la tarde. Pero mi marido come en su empresa. Él acaba el trabajo a las cinco o a las seis de la tarde, depende de la época.

A ¿Cuándo haces las tareas de la casa?

B Bueno, eso es a veces un problema porque yo tengo que preparar las clases por las tardes… Normalmente yo hago la comida y ellos se ocupan de fregar los platos. La compra la hacemos el fin de semana…, todos hacemos algo. La verdad es que después de cenar, a las 10.30 o las 11.00 ya estamos muy cansados y nos acostamos.

UNIDAD 2

C Ganadores

1 Pista 2

GABRIELA MISTRAL, ganadora del Premio Nobel de Literatura. Nació en Chile en 1889. Dedicó más de 16 años de su vida a la enseñanza. Desde 1933 representó a su país como cónsul en Madrid, Lisboa y Los Ángeles. Su poesía ha sido traducida a muchos idiomas. En 1945 recibió el Premio Nobel de Literatura.

PEDRO ALMODÓVAR, ganador de un Óscar. Desde que Pedro Almodóvar dirigió su primera película en 1980, se convirtió en uno de los directores más importantes del cine español. Dirigió más de 15 películas, hasta que en el año 2000 consiguió el Óscar de Hollywood a la Mejor Película de Habla no Inglesa con *Todo sobre mi madre*. Posteriormente, en el año 2003, ganó el Óscar al Mejor Guion Original con su película *Hable con ella*. En el año 2007 logró un gran éxito internacional con su película *Volver*.

MIGUEL INDURÁIN, ganador del Tour de Francia. Miguel Induráin, el famoso ciclista español, nació en Navarra en 1964. Comenzó su carrera de triunfos con su victoria en la Vuelta a España con solo 21 años. Más tarde consiguió cinco Tours de Francia consecutivos entre 1991 y 1995.

UNIDAD 3

A La boda de Pili

4 Pista 3

SEÑORA: Hola, tú eres la hermana de Carlos, ¿no?

PALOMA: Sí, yo soy Paloma y este es mi otro hermano, Jesús.

SEÑORA: ¿Vosotros también vivís en Madrid?

PALOMA: No, yo vivo en Segovia. Soy guía turística.

JESÚS: Yo estoy trabajando en las Islas Canarias desde hace dos años.

SEÑORA: ¿Ah, sí? ¿Y en qué trabajas?

JESÚS: Soy arquitecto y estamos trabajando en la construcción de una urbanización de chalés y apartamentos.

SEÑORA: ¿Y estáis solteros?

PALOMA: No, ¡qué va! Estoy casada y tengo dos hijos, Matías de siete años y Elena de cinco.

JESÚS: Yo, de momento, estoy soltero, pero voy a casarme el año que viene.

SEÑORA: ¿Y tu novia, está también en la boda?

JESÚS: No. Se ha quedado en casa porque su madre está enferma.

SEÑORA: ¡Vaya! ¡Cuánto lo siento! Ya nos conoceremos en otra ocasión.

UNIDAD 4

A Un lugar para vivir

2 Pista 4

A Buenos días, ¿en qué puedo ayudarte?

B Buenos días, estoy buscando un piso o un apartamento de alquiler para este curso.

A ¿Lo quieres muy céntrico o en un barrio?

B Mejor céntrico, es que me gusta salir por la noche y no me gustan los autobuses.

A Sí…, bueno, aquí tenemos un apartamento de un dormitorio, muy cerca de la plaza Mayor, reformado.

B ¿Cuánto cuesta ese?

A Son 1 200 € al mes.

B ¡Qué barbaridad! ¿No tienen otros más baratos?

A Sí, claro, pero no están en el centro, tienes que coger el autobús o el metro para llegar al centro. Aquí hay uno a 500 € al mes.

B Ese está bien. ¿Dónde está?

A En Getafe, a 16 km de Madrid, pero está muy bien comunicado.

B ¿En Getafe? Bueno, creo que lo pensaré y volveré a preguntar.

B ¿Qué has hecho el fin de semana?

3 Pista 5

ENTREVISTADOR: Estamos haciendo una encuesta sobre los gustos cinematográficos de los jóvenes españoles. Perdona, ¿nos podrías contestar a unas preguntas?

PEDRO: Sí, si no tardas mucho.

ENTREVISTADOR: Es muy breve, enseguida terminamos. ¿Vas mucho al cine?

PEDRO: Normalmente, una o dos veces por semana. En verano suelo ir una vez al mes.

ENTREVISTADOR: ¿Y qué tipo de películas te gustan?

PEDRO: Lo importante es que sean buenas, pero las de ciencia ficción me encantan.

ENTREVISTADOR: ¿Y qué actor te gusta más?

PEDRO: Uf, es difícil elegir uno. Javier Bardem en sus últimas películas está fantástico.

ENTREVISTADOR: ¿Y tu actriz favorita?

PEDRO: Entre las españolas, la que más me gusta es Penélope Cruz, y del cine internacional, pues... no sé, Julia Roberts, por ejemplo.

ENTREVISTADOR: Elige una entre tus películas favoritas.

PEDRO: Espera un momento que piense. Ah, bueno... *La guerra de las galaxias*. Bueno, también me gustó mucho El *señor de los anillos*.

ENTREVISTADOR: ¿Qué película española has visto que te haya gustado?

PEDRO: *Lo imposible*. La verdad es que me pareció buenísima.

ENTREVISTADOR: Además de ir al cine ¿qué te gusta hacer en tu tiempo libre?

PEDRO: Me gusta leer, oír música, hacer deporte... y cuando salgo con mis amigos nos gusta sentarnos en una terraza a tomar algo y a charlar.

ENTREVISTADOR: Bueno, pues esto es todo. Muchas gracias.

UNIDAD 5

A No había tantos coches

6 Pista 6

JAIME: El curso pasado decidí irme a Inglaterra para perfeccionar mi inglés. Todo fue distinto de lo que yo imaginaba. Enseguida comprendí que vivir fuera de casa no iba a ser fácil. Mi primera sorpresa fueron los horarios. Las tiendas, los bancos, los museos... cerraban muy pronto: a las seis de la tarde no había nada abierto. Yo estaba acostumbrado a dar un paseo a las seis o las siete de la tarde; a esa hora no había nadie. Yo estaba solo por la calle. En invierno se hacía de noche a las cinco. Pasaban días y días sin aparecer el sol, así que siempre tenía que llevar el paraguas por si acaso.
Tardé varios meses en acostumbrarme. Yo soy de Córdoba y echaba de menos el sol y las calles llenas de gente. Después de un tiempo conocí a un grupo de amigos y empezamos a salir juntos. Por las tardes, después de cenar, íbamos a los pubs. Los fines de semana hacíamos alguna excursión. Y cuando hacía sol nos sentábamos a charlar en la hierba de los parques. Ahora que he vuelto a Córdoba recuerdo esos meses con mucho cariño y nostalgia.

UNIDAD 6

C Cocina fácil

3 Pista 7

CAMARERO: ¿Qué van a tomar?

ELLA: Yo de primero quiero sopa castellana.

ÉL: Y yo una menestra de verdura.

CAMARERO: Muy bien, ¿y de segundo?

ELLA: ¿Qué tal está el cordero?

CAMARERO: Riquísimo, es de Segovia.

ELLA: Pues yo tomaré cordero.

ÉL: Yo prefiero pescado, tomaré merluza.

CAMARERO: Muy bien, ¿y de beber?

ÉL: Para beber pónganos una botella de vino de la casa y una botella de agua mineral, por favor.

CAMARERO: ¿Vino blanco o tinto?

ÉL: Carmen, ¿tú, cuál prefieres?

ELLA: Tinto, mejor ¿no?

ÉL: Sí, una botella de vino tinto.

CAMARERO: Muy bien, ahora mismo.

UNIDAD 7

A Este verano, salud

7 Pista 8

Su carrera empezó en 1997. Desde entonces, Maribel Rojo ha sido portada de revista en varias ocasiones. Ahora disfruta de la fama junto a su marido y su hijo.

ENTREVISTADOR: Maribel, ¿qué haces a diario para cuidarte?

MARIBEL: La verdad es que soy muy disciplinada. Todos los días bebo dos litros de agua, hago ejercicio regularmente, duermo ocho horas diarias.

ENTREVISTADOR: ¿Y sigues alguna dieta especial?

MARIBEL: Bueno, soy vegetariana, pero no estricta. Me gustan mucho las ensaladas, las verduras y la fruta. Y de vez en cuando como algo dulce, soy golosa.

ENTREVISTADOR: Y cuando dices ejercicio, ¿qué ejercicio haces?

MARIBEL: Me gusta jugar al tenis. También doy largos paseos, me gusta mucho andar y me ayuda a dormir mejor.

ENTREVISTADOR: Y esa piel tan estupenda que tienes, ¿la cuidas mucho?

MARIBEL: No creas, no mucho. Todos los días por la mañana me lavo la cara solo con agua y me pongo crema hidratante y por la noche me limpio bien el cutis antes de acostarme.

UNIDAD 8

C Excusas

2 Pista 9

A ¿Cuántos años tienes?

B 55.

A ¿Estás casado?

B Sí, estoy casado y tengo dos hijos.

A ¿Dónde vives?

B En la calle Goya. Es una casa bastante grande y luminosa.

A ¿Qué es lo mejor de vivir en el centro?

B ¿Lo mejor de vivir en el centro? Puedo ir andando a mi trabajo y hay muchas tiendas cerca de casa.

A ¿Qué es lo peor?

B Lo peor es el aparcamiento. Es horroroso.

A ¿Cuál es tu restaurante favorito?

B No tengo ningún restaurante favorito. Pero cuando salimos en familia, elegimos un restaurante italiano.

A ¿Dónde haces la compra?

B La compra la solemos hacer en un supermercado cerca de casa.

A ¿Qué haces en tu tiempo libre?

B En mi tiempo libre, lo que más me gusta es salir de Madrid y andar por el campo.

UNIDAD 9

B ¿Qué pasará?

1 Pista 10

Ya estoy cansado de esta vida tan desordenada. Para el Año Nuevo voy a hacer una lista de buenos propósitos. Para empezar, saldré solo los fines de semana, iré a clase todos los días, me levantaré temprano los fines de semana para hacer deporte. Además, no comeré tantas hamburguesas ni tonterías. Tampoco discutiré con mis padres ni mi novia... No copiaré en los exámenes, ayudaré en las tareas de la casa, veré menos la tele... Bueno, creo que está todo. ¡Anda!, ¡si esta lista es exactamente igual que la que hice el año pasado!

UNIDAD 10

A ¿Qué piensas hacer estas vacaciones?

3 Pista 11

1. MANUELA GONZÁLEZ. Vacaciones familiares.
Nosotros vamos todos los años a pasar las vacaciones al pueblo de mis padres. Mis hijas se llevan bien con los abuelos y juegan todo el día con sus primos. Normalmente mi marido y yo andamos mucho por la montaña, nos bañamos en la piscina y por las tardes salimos a tomarnos algún refresco con nuestros amigos. El 15 de agosto hay fiestas en el pueblo, y está todo muy animado.

2. EUSEBIO Y PALOMA. Deportes de aventura.
Los dos trabajamos en una oficina y estamos todo el día sentados, pero nos gusta mucho el deporte. En invierno normalmente jugamos al tenis y esquiamos en la sierra. En verano aprovechamos para hacer otros deportes de riesgo. En los ríos y montañas de Asturias cada año hacemos un poco de todo: barranquismo, espeleología. Lo que buscamos es el contacto con la naturaleza y disfrutar de nuevas experiencias.

3. ELENA, JAVIER Y ANA MARÍA.
Desde hace cinco años, todos los veranos vamos a los cursos de la Universidad Internacional Menéndez Pelayo. Empezamos a venir cuando estábamos estudiando en la universidad, teníamos tres meses de vacaciones y queríamos aprovechar el tiempo. Nos gusta venir porque los profesores son personalidades muy importantes en su campo. Además, por las tardes siempre hay fiestas, conciertos musicales y la playa está muy cerca.

Soluciones

UNIDAD 0

A ¿Cómo estás?

1 1 termina, Sale; 2 trabajan, duermen; 3 B: Soy, doy; 4 A: vienes; B: tomo, vengo; 5 A: cuesta; 6 A: vas; B: quiero, dicen; 7 B: voy; 8 A: está; B: sé; 9 A: sales; B: salgo; 10 A: Puedes, va; B: siga, tome; 11 A: volvemos; 12 A: tenéis; 13 A: haces; B: Me levanto, hago, hago, damos; 14 A: tengo, tengo, pido; B: puedo, tienen.

2 1 ¿Tienes hijos? 2 ¿Cuántos años tienes? 3 ¿Conoces a Laura? 4 ¿Te gusta esta chaqueta? 5 ¿Quedamos esta tarde? 6 ¿Te vienes a tomar algo? 7 ¿Quieres un café? 8 ¿Puedo abrirla? 9 ¿Qué te pasa? 10 ¿Con quién comiste ayer?

3 1 Sí, claro, siéntate; 2 Sí, claro, ábrela; 3 Sí, claro, tráela; 4 Sí, claro, pruébatela; 5 Sí, claro, tómalo; 6 Sí, claro, báñate; 7 Sí, claro, llévatelo; 8 Sí, claro, ponlas.

4 1 os, me; 2 les; 3 me, la; 4 te; 5 nos, nos; 6 se; 7 te; 8 B: lo; 9 las; 10 le; 11 A: te; B: me, me; 12 nos; 13 A: le; B: le; 14 A: te, te; B: me, me; 15 A: te; B: me, me; 16 A: te; B: se; 17 A: se; B: lo; 18 A: me; B: te; 19 B: me; 20 nos/les.

5 (1) tuvo; (2) Se levantó; (3) desayunó; (4) salió; (5) Hizo; (6) empezó; (7) Tuvo; (8) Comió; (9) recibió; (10) Salió; (11) pasó; (12) se acostó.

6 1 en, de; 2 por, a, en, del; 3 A; 4 con; 5 a, de, por; 6 en, a, a, en; 7 A, de; 8 por, de, por/en; 9 de, en; 10 a, en; 11 a, al, de; 12 a, por; 13 de, por; 14 por; 15 a, de; 16 de; 17 con, de, de, de, de, de; 18 de, a, de, a, de; 19 a, de, en, de, de; 20 por, por, por; 21 por, a; 22 de, de; 23 A: de; B: de; 24 de, a; 25 con, en.

7 1 A: para; B: para; 2 por; 3 para; 4 para; 5 B: por; 6 para; 7 por; 8 para; 9 para; 10 por.

8 1 c); 2 e); 3 d); 4 b); 5 f); 6 i); 7 l); 8 j); 9 g); 10 a); 11 h); 12 K).

9 1 Si; 2 pero; 3 Como, y; 4 Si; 5 Si; 6 y; 7 porque; 8 B: también; 9 Como; 10 pero.

10 1 vimos; 2 comí; 3 era, tenía; 4 era, pasaba, vivían; 5 fue; 6 A: Estuviste; B: fue, estuvimos; 7 vivía, había, era; 8 salí, gustó. 9 me concedieron, tuve.

11 Respuestas semilibres.
1 Más de 300 millones de personas; 2 Del latín; 3 Cuatro: castellano, catalán, gallego y euskera; 4 Gallegos; 5 Templado, con tardes lluviosas; 6 El 1 de noviembre; 7 En Perú; 8 El aceite de oliva; 9 Eduardo Mendoza y Almudena Grandes; 10 River Plate, Boca Juniors y Real Madrid; 11 Boca Juniors; 12 Carlos Santana, Jennifer López y Enrique Iglesias; 13 Café y bollos; 14 Libre; 15 Pablo Ruiz Picasso; 16 Diego Rivera; 17 La Habana; 18 Los tacos; 19 Huevo, patata y cebolla.

12 1d; 2b; 3e; 4c; 5a.

UNIDAD 1

A ¡Encantado!

1 1 b; 2 f; 3 c; 4 d; 5 a; 6 e.

2 1 A Rafa y a Alicia les gusta el cine. 2 A Rafael no le gusta ir a la discoteca, pero a Alicia, sí. 3 A Rafael le gusta leer, pero a Alicia, no. 4 A Rafael y Alicia no les gusta jugar al fútbol. 5 A Rafael no le gusta andar, pero a Alicia, sí. 6 A Rafa y a Alicia no les gustan las carreras de coches. 7 A Rafa y a Alicia les gusta navegar por internet. 8 A Rafa y a Alicia les gustan los idiomas. 9 A Rafael le gusta la Historia, pero a Alicia, no. 10 A Rafael y Alicia les gustan los viajes. 11 A Rafael y Alicia no les gustan ni los chats ni las redes sociales.

3 1 ¿Cómo te llamas? 2 ¿De dónde eres? 3 ¿A qué te dedicas? 4 ¿Dónde trabajas? 5 ¿Dónde vives? 6 ¿Por qué estudias español? 7 ¿Qué te gusta hacer? 8 ¿Cuántos idiomas hablas?

4 1 b; 2 f; 3 a; 4 e; 5 g; 6 d; 7 c; 8 h.

B Duermo poco

1 (1) viven, (2) es, (3) trabaja, (4) es, (5) tiene, (6) se levanta, (7) lleva, (8) empieza, (9) Come, (10) vuelve, (11) es, (12) es, (13) sale, (14) vuelve, (15) come, (16) va, (17) practica, (18) estudia.

2 1 a; 2 en, en; 3 de, a, de, a, de; 4 por, por, de, a; 5 por; 6 a, a, al, por, a; 7 de, a, al, del; 8 desde, hasta, de; 9 por, en; 10 Desde; 11 En, de, a; 12 a; 13 de; 14 a, a, de; 15 por, con, a, por; 16 desde, hasta.

3 1 le; 2 te; 3 se; 4 les; 5 les; 6 le; 7 se; 8 se; 9 se, le; 10 nos, nos; 11 les; 12 me; 13 te.

4 1 V; 2 F; 3 V; 4 F; 5 V; 6 F; 7 V; 8 F.

C Unas vacaciones inolvidables

1 **Regulares:** salí – salió (salir); escribí – escribió (escribir); me levanté – se levantó (levantarse); me acosté – se acostó (acostarse); terminé – terminó (terminar); compré – compró (comprar); comí – comió (comer).
Irregulares: fui – fue (ir); fui – fue (ser); tuve – tuvo (tener); leí – leyó (leer); hice – hizo (hacer); dormí – durmió (dormir); vi – vio (ver); pude – pudo (poder); vine – vino (venir).

2 (1) Me levanté; (2) Volví; (3) me duché; (4) desayuné; (5) salimos; (6) Compré; (7) Me encontré; (8) fuimos (9) comimos; (10) salimos; (11) fue; (12) estuve.

3 Actividad libre.

4 1 A. fuiste, B. Fui. 2 pusiste. 3 hicieron. 4 A. hiciste, B. Vi, me acosté. 5 A. compraste, B. Compré. 6 A. vino. 7 A. volviste. 8 estuvieron, llovió, pasaron. 9 fuimos, nos bañamos, hicimos, Fue.

5 (1) Queridos; (2) muy bien; (3) fuimos; (4) luego; (5) Después; (6) y; (7) estuvimos; (8) Fue; (9) es; (10) son; (11) abrazo.

6 1 El sábado pasado Manolo **fue** al cine. 2 ¿**Te apetece** una cerveza? 3 A. ¿Qué tal el fin de semana? B. Muy bien, fui **a** la discoteca. 4 Anoche yo **vi** la tele hasta las doce de la noche. 5 A los jóvenes españoles **les encanta** salir por al noche. 6 El domingo Fernando se **levantó** a las once de la mañana. 7 A. ¿Vienes al cine? B. Vale, **¿dónde quedamos?**

C. En la puerta del cine. **8** ¿**A** qué hora volviste ayer a casa?

UNIDAD 2

A ¿Quieres ser millonario?

1 **1** ¿Qué está comprando Pedro? **2** ¿Adónde fuiste? **3** ¿Quién arregló el reloj? **4** ¿Qué hicieron para cenar? **5** ¿Adónde os vais de vacaciones? **6** ¿Adónde fueron Rosa y Pablo? **7** ¿Qué sabe tocar Susana? **8** ¿Cuándo viene Lorena? **9** ¿Dónde está el helado? **10** ¿A qué hora es el partido? **11** ¿Qué música te gusta? **12** ¿A qué hora cenas? **13** ¿Quiénes vinieron a verte?

2 **1** Cuántos. **2** Cuánta. **3** Cuántas. **4** Cuánto. **5** Cuántos. **6** Cuántas. **7** Cuántos. **8** Cuánta. **9** Cuántos. **10** Cuántos. **11** Cuánto.

3 **1** Qué. **2** Qué. **3** Qué. **4** Qué. **5** Qué. **6** Cuál. **7** Cuál. **8** Qué. **9** Qué. **10** Cuál.

4 **1** b; **2** c; **3** a; **4** c; **5** b; **6** a.

B Biografías

1 **1** Maradona jugó en el Fútbol Club Barcelona. **2** Cervantes fue el autor de *El Quijote*. **3** Los Reyes de España se casaron en Grecia. **4** Antonio Banderas y Melanie Griffith se conocieron en el rodaje de una película. **5** Camilo José Cela recibió el Premio Nobel de Literatura en 1989.

2 **1** La Guerra Civil española terminó en abril de 1939. **2** Los Beatles consiguieron su primer éxito en enero de 1963. **3** El hombre llegó a la Luna en julio de 1969. **4** Dalí nació en Cataluña en mayo de 1904. **5** Cristóbal Colón llegó a América en octubre de 1492. **6** La Revolución francesa comenzó en julio de 1789.

3 (1) nació; (2) se fue; (3) se hizo; (4) perdió; (5) Estuvo; (6) volvió; (7) Se casó; (8) Tuvo; (9) fue; (10) escribió; (11) Murió.

4 (1) quiso; (2) empezó; (3) descubrieron; (4) estudió; (5) gustó; (6) empezó; (7) tuvo; (8) se dedicó; (9) crearon; (10) consiguieron.

C Ganadores

1 (1) 1889; (2) 16; (3) 1933; (4) 1945; (5) 1980; (6) 15; (7) 2000; (8) 2003; (9) 2007; (10) 1964; (11) 21; (12) 5; (13) 1991; (14) 1995.

2 **1** Gabriela Mistral trabajó como cónsul en Madrid, Lisboa Los Ángeles; **2** Ganó el Premio Nobel de Literatura en 1945; **3** Almodóvar ganó el Óscar con *Todo sobre mi madre*; **4** Miguel Induráin es de Navarra; **5** Cuando ganó la Vuelta a España tenía 21 años.

3 **1** En. **2** de. **3** por. **4** En. **5** Desde. **6** Desde, hasta. **7** En. **8** a **9** en. **10** hasta.

4 Actividad libre.

5 **1** En mil quinientos cuarenta y siete **2** En mil novecientos sesenta y nueve. **3** En dos mil. **4** En mil setecientos ochenta y nueve. **5** En mil novecientos noventa y cinco. **6** En mil novecientos cuatro. **7** En mil novecientos treinta y nueve. **8** En mil novecientos ochenta y nueve.

PRACTICA MÁS 1

1 **1** d; **2** f; **3** a; **4** b; **5** h; **6** c; **7** g; **8** e.

2 Actividad libre.

3 (1) en, (2) de, (3) De, (4) a, (5) a, (6) de, (7) a, (8) desde, (9) hasta, (10) Por, (11) con, (12) de, (13) Al, (14) por, (15) con, (16) a, (17) a.

4 **1** A Ángel le encanta el chocolate; **2** Susana y Jorge se casan el domingo; **3** ¿Cómo me quedan estos pantalones? **4** Yo no me encuentro bien hoy; **5** ¿Qué le pasa a tu mujer? **6** ¿Tú te pones faldas cortas? **7** Mis hijos se bañan en el río; **8** ¿Qué os parece el plan?

5 (1) nació; (2) Estudió; (3) conoció; (4) Pintó; (5) celebró; (6) recibió; (7) conoció; (8) empezó; (9) vivió; (10) volvió; (11) creó; (12) Murió.

6 (1) naciste; (2) nací; (3) estudiaste; (4) empecé; (5) me fui; (6) cantaste; (7) canté; (8) pagaron; (9) estuve; (10) fue; (11) fue; (12) ganó.

7 **1** Ayer Carmen no cenó; **2** Eduardo volvió de Perú el sábado; **3** ¿Cuánto te costó el frigorífico nuevo? **4** Celia dejó Cuba y se instaló en EE. UU.; **5** El avión de Rosa llegó con retraso; **6** Carlos Gardel tuvo mucho éxito entre las mujeres; **7** ¿Cuándo murió Carlos Gardel? **8** Ayer no compré bastantes limones; **9** ¿Dónde nació Salvador Dalí? **10** ¿Cuál fue la última obra de Dalí? **11** La República Dominicana es la segunda isla más grande del Caribe; **12** En julio de 1789 comenzó la Revolución francesa.

UNIDAD 3

A La boda de Pili

1 **1** El príncipe Felipe nació en Madrid el 30 de enero de 1968. **2** Felipe Juan Pablo Alfonso y de Todos los Santos. **3** Es serio, introvertido y con gran sentido del humor. **4** La vela y el esquí. **5** Su esposa era periodista. **6** Respuesta por parte del alumno. **7** En Asturias. **8** En 1981.

2 **1** V; **2** F; **3** F; **4** V; **5** V.

3 Hermana, padre, abuelo, madre, bisabuelo, primo, tía, cuñado.

4 **1** F; **2** F; **3** V; **4** F; **5** F; **6** V; **7** V.

B ¿Cómo te ha ido hoy?

1 **Viajar:** Yo he viajado; Tú has viajado; Él/ella ha viajado; Nosotros hemos viajado; Vosotros habéis viajado; Ellos/as han viajado.
Conocer: Yo he conocido; Tú has conocido; Él/ella ha conocido; Nosotros hemos conocido; Vosotros habéis conocido; Ellos/as han conocido.
Vivir: Yo he vivido; Tú has vivido; Él/ella ha vivido; Nosotros hemos vivido; Vosotros habéis vivido; Ellos/as han vivido.
Divertirse: Yo me he divertido; Tú te has divertido; Él/ella se ha divertido; Nosotros nos hemos divertido; Vosotros os habéis divertido; Ellos/as se han divertido.
Volver: Yo he vuelto; Tú has vuelto; Él/ella ha vuelto; Nosotros hemos vuelto; Vosotros habéis vuelto; Ellos/as han vuelto.
Ver: Yo he visto; Tú has visto; Él/ella ha visto; Nosotros hemos visto; Vosotros habéis visto; Ellos/as han visto.

2 **1** Ramón ha conocido a una chica; **2** Nosotros hemos vivido en Mallorca un año; **3** ¿Has visto la última película de Almodóvar? **4** Nunca he estado en Argentina; **5** Mi hermano ha pasado por mi casa esta mañana; **6** Elena ya se ha ido a la cama; **7** ¿Habéis tenido problemas con el pasaporte? **8** Mis vecinos han llamado a la policía, porque han visto a un ladrón en la escalera; **9** Esta mañana no me he afeitado; **10** La Sra. Pérez ha estado dos veces en el hospital; **11** Juan no ha hecho la cama hoy. **12** Clara ha llegado tarde al trabajo.

3 Actividad semilibre.

1 Este verano he viajado por Centroamérica; **2** Esta mañana he desayunado café y tostadas; **3** Este mediodía he comido con mi familia; **4** Esta tarde he estado en el parque; **5** Hoy hemos salido de casa; **6** Esta semana he ido en taxi a la oficina; **7** Esta noche he visto una película muy buena **8** Últimamente he hecho bastante deporte. **9** Estos meses he trabajado para un periódico local.

4 **1** llega, ha llegado; **2** he trabajado; **3** A. sales; B. salgo, he salido; **4** comemos, hemos ido; **5** vemos, hemos visto; **6** he hecho, hace; **7** A. has puesto; B. he puesto. **8** se acuesta, se ha ido. **9** abre, han abierto. 10. ha sido, es.

5 (1) llegó; (2) encontré; (3) cumplí; (4) he visto; (5) hemos visto; (6) conocimos; (7) enamoramos; (8) he hablado; (9) hemos decidido.

6 **1** De las vacaciones. **2** A una mujer. **3** En un hospital. **4** Es enfermera. **5** 63 años. **6** Fiebres tifoideas. **7** La vida siempre es más dura de lo que uno se imagina.

C Costumbres

1 **1** No se puede jugar a la pelota; **2** No se puede correr por las instalaciones; **3** No se puede empujar al agua; **4** Hay que usar gorro de baño; **5** Hay que ducharse antes de entrar al agua. **6** Hay que usar gafas de baño;

2 **1** No hay que acostarse tarde; **2** Hay que repasar; **3** No hay que salir por la noche; **4** Hay que dormir ocho horas; **5** No hay que ver la televisión hasta muy tarde; **6** No hay que ponerse nervioso; **7** Hay que estar tranquilo; **8** No hay que cenar tarde; **9** Hay que; **10** No hay que.

UNIDAD 4

A Un lugar para vivir

1 **1** Nos gustaría comprar un piso en la playa. **2** A Lola le gustaría cambiar de trabajo. **3** A mi marido le gustaría trabajar en una orquesta. **4** ¿Te gustaría ir a ver una película? **5** ¿A Ud. le gustaría cambiar de coche? **6** Me gustaría ganar más dinero. **7** ¿Os gustaría ir de vacaciones a Mallorca? **8** No me gustaría vivir cerca de una central nuclear. **9** ¿Les gustaría ir el viernes por la tarde a la ópera? **10** ¿Os gustaría cenar el próximo sábado con nosotros?

2 B. Buenos días, este curso; B. céntrico, por la noche; A. un dormitorio; B. ¿Cuánto cuesta; A. 1.200; B. más baratos; A. tienes que coger el autobús, 500; A. 16, comunicado; B. a preguntar.

3 **1** garaje; **2** cocina; **3** en la cama; **4** salón; **5** comedor; **6** en la ducha; **7** jardín; **8** armario; **9** en la chimenea; **10** en el espejo.

4 alfombra, cama, horno, sillón, armario, lavabo, ducha, nevera, silla.

B ¿Qué has hecho el fin de semana?

1 **1** A: has hecho; B: vi, fui; **2** A: llamé, encontré; B: fui; **3** A: has estado; B: He visto, han salido; **4** A: estudiaste; B: vine,

conocí, empezamos, matriculé; B: dejé; **5** A: ha tenido; A: Chocó, fue. **6** A: Has hablado; B: he estado; A: rompió, ha estado. **7** A: Habéis caminado. B: hemos venido.

2 *Titanic*: drama; *El diario de Bridget Jones*: comedia; *Avatar*: de ciencia ficción; *Chicago*: musical; *El exorcista*: de terror; *La guerra de las galaxias*: de ciencia ficción; *El señor de los anillos*: de acción; *Sin perdón*: del oeste.

3 **1** Una o dos veces por semana; **2** Las de ciencia ficción; **3** Sí, Javier Bardem; **4** Penélope Cruz y Julia Roberts; **5** *La guerra de las galaxias* y *El señor de los anillos*; **6** Sí; *Lo imposible*; **7** Le gusta sentarse en una terraza a tomar algo y a charlar.

4 **1** La mayoría; **2** Casi la mitad; **3** Casi todo el mundo; **4** todo; **5** Muy pocas; **6** La mayoría.

C ¿Quién te lo ha regalado?

1 **Sujeto:** Yo, Tú, Él/ella, Nosotros, Vosotros, Ellos/as; **Objeto directo:** Me, Te, Lo/la, Nos, Os, Los/las; **Objeto indirecto:** Me, Te, Le/Se, Nos, Os, Les/Se.

2 **1** Dámelo; **2** Estúdialos; **3** Regálaselo; **4** Tráemelas; **5** Cómpraselo; **6** Mándaselo; **7** Dáselas; **8** Recuérdasela; **9** Nos los devolvió; **10** Me los contaron; **11** Ciérrala; **12** Cómetelo; **13** Dáselas; **14** ¿Se lo has enviado?

3 **1** Sí, se lo he dado esta mañana.; **2** Sí se lo conté ayer; **3** No, todavía no se la he llevado; **4** Sí, se lo devolví el sábado; **5** Sí, se lo he explicado; **6** Sí, ya me las han dado; **7** Sí, me la dio ayer **8** Sí, se lo he comprado para después de comer; **9** Sí, nos los dieron el mes pasado; **10** Sí, nos las han traído ahora mismo.

4 **1** la; **2** lo; **3** te; **4** Tú; **5** Os; **6** te los; **7** las; **8** les; **9** Yo; **10** Le; lo.

PRACTICA MÁS 2

1 **1** está; **2** es; **3** es; **4** son; **5** están; **6** está; **7** es; **8** está; **9** Estás; **10** sois.

2 Actividad libre.

3 A. has trabajado; B. he trabajado; A. Has estado; B. he estado; he viajado; A. Has conocido; B. he conocido.

4 **1** No ha trabajado como guía turística; **2** Ha trabajado en una agencia de viajes; **3** Ha estado en España; **4** No ha viajado por todo el país; **5** No ha conocido a muchos españoles.

5 **1** ¿Han ido alguna vez a Marbella? **2** ¿Has visto alguna vez una corrida de toros? **3** ¿Ha vivido alguna vez en el extranjero? **4** ¿Habéis ido alguna vez a un concierto de rock? **5** ¿Han comido alguna vez gazpacho? **6** ¿Has montado alguna vez en avión? **7** ¿Ha arreglado alguna vez un enchufe?

6 **1** Mis padres se han acostado temprano; **2** Juan se ha bebido toda la leche; **3** Los niños han roto el ordenador; **4** A nosotros nos ha gustado la película; **5** Mi novio y yo hemos estado de vacaciones en Galicia; **6** El concierto ha empezado tarde; **7** La madre de Juan se ha caído por al escalera; **8** El fontanero ha dicho que viene mañana; **9** ¿Has acabado de pintar tu casa?

7 **1** Le gustaría comer una pizza gigante; **2** Les gustaría vivir más cerca; **3** Le gustaría comprarse un coche nuevo; **4** Le gustaría comprarse un piso más grande; **5** Nos gustaría tener más dinero; **6** Me gustaría ganar más dinero y trabajar menos; **7** A María le gustaría aprobar el examen y entrar en la universidad; **8** Me gustaría levantarme más tarde; **9** A Pedro le gustaría tener hermanos; **10** A Juan le gustaría ver un partido de fútbol; **11** A Alicia le gustaría ser cantante.

8 **1** Hay que; **2** Hay que; **3** No hay que; **4** no se puede; **5** Hay que; **6** no se puede; **7** Hay que; **8** no hay que ser.

9 **1** He viajado; **2** vivió; **3** ¿Has trabajado; **4** hicimos; **5** he montado; **6** ¿Habéis visto; **7** nos conocimos; **8** llegaste. **9** vendió; **10** has estado.

UNIDAD 5

A No había tantos coches

1 **Cantar:** yo cantaba, tú cantabas, él/ella/ Ud. cantaba, nosotros cantábamos, vosotros cantabais, ellos/as/Uds. cantaban; **Tener:** yo tenía, tú tenías, él/ella/Ud. tenía, nosotros teníamos, vosotros teníais, ellos/as/Uds. tenían; **Dormir:** yo dormía, tú dormías, él/ella/Ud. dormía, nosotros dormíamos, vosotros dormíais, ellos/as/Uds. dormían; **Ser:** yo era, tú eras, él/ella/Ud. era, nosotros éramos, vosotros erais, ellos/as/Uds. eran.

2 **1** Yo hacía natación / Yo no hacía natación; **2** Yo salía de noche / Yo no salía de noche; **3** Yo tenía moto / Yo no tenía moto; **4** Yo leía cómics / Yo no leía cómics; **5** Yo iba a conciertos de rock / Yo no iba a conciertos de rock; **6** Yo estudiaba en la universidad / Yo no estudiaba en la universidad; **7** Yo trabajaba en verano / Yo no trabajaba en verano; **8** Yo viajaba al extranjero / Yo no viajaba al extranjero; **9** Yo comía hamburguesas / Yo no comía hamburguesas. **10** Yo compartía piso con otros estudiantes. / Yo no compartía piso con otros estudiantes. **11** Yo vestía de otra manera. / Yo no vestía de otra manera. **12** Yo pertenecía a una tribu urbana. / Yo no pertenecía a una tribu urbana. **13** Yo era voluntario de una ONG. Yo no era voluntario de una ONG. **14** Yo iba de vacaciones a mi pueblo.

3 **1** viajaba; **2** jugaban; **3** íbamos; **4** trabajaban; **5** vivíamos, gustaba; **6** había; **7** estudiaba; **8** veía. **9** tenía, tenía; **10** era, había, había; **11** estudiaban; **12** veía, hacía, **13** eran, pasaban, iban.

4 **1** tenía, fui; **2** comí, gustó, tenía, **3** vivíamos, conocimos; **4** fue, encontró; **5** estuve, estaba; **6** llamaron, estaba; **7** fui; **8** fuimos, me encontré; **9** estaba, se acostó. **10** vinieron, estaba; **11** estaba, salió; **12** hizo, nos quedamos; **13** llamó, encontró; **14** pude, estaba.

5 (1) iba; (2) vio; (3) estaba; (4) se acercó; (5) preguntó; (6) contestó; (7) era; (8) tenía; (9) se bajaron; (10) estuvieron; (11) quedaron.

6 **1** El curso pasado; **2** A las seis de la tarde; **3** Frío; **4** De Córdoba; **5** El sol y las calles llenas de gente; **6** Se sentaban a charlar en la hierba de los parques; **7** Con mucho cariño y nostalgia.

B Yo no gano tanto como tú

1 **1** México es más grande que Panamá; **2** En Irán hay menos habitantes que en China; **3** Egipto está más al sur que Japón; **4** En Cuba hace más calor que en Canadá; **5** En el desierto del Sahara llueve menos que en Venezuela; **6** Cuba es más pequeño que España; **7** Egipto tiene

más población que Canadá; **8** Panamá es el que tiene menos habitantes; **9** España tiene 11 millones más de habitantes que Canadá; **10** Egipto tiene 7,3 millones más de habitantes que Irán.

2 **1** b; **2** c; **3** a; **4** c; **5** a; **6** c; **7** a; **8** b.

3 **1** Mercurio es el planeta más próximo al Sol; **2** Marte es el planeta más cercano a la Tierra; **3** Plutón es el planeta más distante del Sol; **4** Venus es el planeta más caluroso; **5** Júpiter es el planeta más grande; **6** Mercurio es el planeta más difícil de ver. **7** Marte es el planeta más parecido a la Tierra. **8** Venus es el planeta más brillante.

C Moverse por la ciudad

1 **1** a) Su casa está al otro lado de la calle; **2** a) Nadie está sentado entre nosotros; **3** a) La casa está a poca distancia de la iglesia; **4** b) Entre la casa de Juan y la mía hay mucha distancia; **5** b) A espaldas de la casa hay un jardín. **6** a) La casa está entre dos tiendas de ropa. **7** a) Cerca de la entrada hay un jardín. **8** b) La parada de autobús está enfrente.

2 Autobús, tren, bicicleta, autocar, taxi, moto, avión, metro.

3 **1** A la vuelta de Semana Santa; **2** En las carreteras de entrada de Madrid, Barcelona y Sevilla; **3** La lluvia, el hielo y la niebla; **4** La huelga de autocares; **5** Los aviones.

UNIDAD 6

A Segunda mano

1 **1** Por Carmen o por Sara; **2** Muy cerca de la universidad. **3** Comprar una impresora de segunda mano; **4** Para una obra de teatro; **5** En el que se venden coches nuevos y seminuevos; **6** Poco usadas; **7** Por Bea; **8** En el aula 218 del edificio B; **9** Habitación con baño, balcón y calefacción. **10** Con un chico o una chica.

2 **MOTOR:** un coche, una moto; **INMOBILIARIA:** un piso de alquiler; **INFORMÁTICA:** un ordenador; **IMAGEN Y SONIDO:** una cámara digital; un piano; una guitarra eléctrica; un disco de Shakira; **CASA Y HOGAR:** un frigorífico; un lavavajillas; una cama; un bonsái; un acuario.

B En la compra

1 Plátano, pimiento, naranja, lechuga, melocotón, pera, coliflor, uva. Zanahoria.

2 **1** c; **2** a; **3** f; **4** b; **5** d; **6** e.

3 **1** algún; No, no hay ninguno; **2** alguna; No, no queda ninguna; **3** algún; No, no hay ninguno; **4** algo; No, no deseo nada más, gracias; **5** alguien; No, no ha llamado nadie; **6** alguna; No, no tengo ninguna; **7** algo; No, no quiero nada; **8** algún; No, no tengo ninguno; **9** alguien; No, no espero a nadie.

4 **1** No hay ningún limón; **3** ¿Hay alguna botella de agua en la nevera? **4** ¿Vive alguien en el piso de arriba? **5** ¿Ha venido alguien a casa? **7** ¿Hoy no ha llamado nadie por teléfono? **8** ¿Alguien ha visto algo del accidente? **9** ¿Alguno de vosotros sabe algo? **11** ¿No hay nadie con gafas en esta clase?

C Cocina fácil

1 **Primer plato:** ensaladilla rusa, menestra de verdura, sopa castellana; **Segundo plato:** cordero asado, merluza, lomo de cerdo, ternera; **Postre:** fruta del tiempo, helado, tarta, flan; **Bebidas:** agua mineral, vino.

2 (1) Qué; (2) de primero; (3) una; (4) segundo; (5) está; (6) es; (7) yo; (8) merluza; (9) de beber; (10) una botella; (11) mineral; (12) blanco; (13) cuál; (14) vino.

4 **1** se cena; **2** se puede; **3** se cuecen; **4** se escribe; **5** se sirve; **6** se oye; **7** se ve; **8** se habla; **9** se toma. **10** se pronuncian; **11** se ve.

5 (1) rito; (2) en; (3) tapas; (4) son; (5) estudio; (6) julio; (7) mayores; (8) de; (9) que; (10) gambas; (11) boquerones; (12) acompañar; (13) refrescos; (14) Andalucía; (15) hay; (16) variedad.

PRACTICA MÁS 3

1 **1** era, trabajaba; **2** tocó, compré; **3** fuimos, estaba; **4** hacía, salí; **5** tocaba, dejó; **6** quedé, vinieron; **7** quería, se estropeó.

2 **1** pequeño; **2** caro; **3** oscura; **4** sucia; **5** larga; **6** ancho; **7** antiguo. **8** rico.

3 **1** b; **2** c; **3** a; **4** b; **5** c; **6** a; **7** a, b; **8** c; **9** b; **10** b; **11** c.

4 **1** alguien; **2** algo; **3** nada; **4** ningún; **5** algunas, ninguna; **6** ningún; **7** algún; **8** algo; **9** nada, nadie; **10** alguna; **11** Alguien; **12** ninguna.

5 **1** Nada; **2** Ninguno; **3** Nadie; **4** Nada; **5** ningún; **6** nadie; **7** Nada; **8** ninguna; **9** nadie / ningún; **10** Ninguna; **11** Nadie; **12** Ninguno.

6 **1** Se hierve; **2** Se echa; **3** Se añade; **4** Se cuece; **5** Se añade; **6** Se sirve.

7 **1** Buenos días, ¿qué desean comer? **2** A mí póngame una sopa de primero y de segundo un filete; **3** Yo también quiero sopa, pero de segundo quiero pollo; **4** ¿Y para beber? **5** Vino y casera, por favor; **6** ¿Tomarán algo de postre? **7** No, muchas gracias. La cuenta, por favor.

UNIDAD 7

A Este verano, salud

1 **Afirmativo:** (tú) bebe; (Ud.) beba; ven, venga; cállate, cállese; levántate, levántese; haz, haga; **Negativo:** no bebas, no beba; no vengas, no venga; no te calles, no se calle; no te levantes, no se levante; no hagas, no haga.

2 **1** Pues no vayas a trabajar, quédate en casa; **2** Pues tómate un té, no un café; **3** Pues sal, no te quedes en casa; **4** Pues ponte los vaqueros, no la falda; **5** Pues cómete un bocadillo, no comas pescado. **6** Pues no vayas al cine, ve a la discoteca. **7** Pues siéntate aquí, no andes más. **8** Pues no juegues a la lotería, gasta el dinero en otra cosa. **9** Pues haz algo especial estas navidades, no hagas lo mismo de siempre. **10** Pues no tengas prisa, relájate un poco.

3 **1** No me lo des; **2** No los hagas; **3** No se lo digas; **4** No la abras; **5** No la traigas; **6** No te lo pongas; **7** No los traiga; **8** No la lleves; **9** No me lo digas; **10** No se la ponga; **11** No se lo diga.

4 **1** g; **2** b; **3** h **4** f; **5** d; **6** a; **7** c; **8** i; **9** k; **10** i; **11** j.

5 **1** Una empresa barcelonesa; **2** 12 euros; **3** El 20% de los españoles; **4** En un masaje antiestrés que dura entre cinco y diez minutos y a continuación la persona se cubre con una manta y duerme unos veinte o treinta minutos; **5** No más de 30 minutos; **6** Es bueno para el corazón y, sobre

todo, mejora el rendimiento intelectual.

6 **1** b; **2** a; **3** f; **4** d; **5** e; **6** c; **7** i; **8** h; **9** g.

7 **1** F; **2** F; **3** F; **4** V; **5** V; **6** F; **7** V.

B Mi jefe está de mal humor

1 **1** b; **2** f; **3** e; **4** d; **5** c; **6** a. **7** h; **8** g.

2 **1** libre; **2** cerrada; **3** lleno; **4** sucia; **5** estropeado; **6** vacía; **7** ocupado.

3 **1** B. es; A. es, Tiene, Tiene; A. Es, está; **2** B. está, están; **3** B. 1. está, 2. está, 3. están, 4. están, 5. están, 6. es, 7. tiene; **4** A. Es; B. está; **5** B. está; **6** A. Está; B. está; **7** B. estoy, estoy; **8** es; **9** están; **10** B. es, está, tiene. **11** es, tiene, está; **12** está, es, tiene.

C ¡Que te mejores!

1 **Hacer:** haga, hagas, haga, hagamos, hagáis, hagan; **Tener:** tenga, tengas, tenga, tengamos, tengáis, tengan; **Ir:** vaya, vayas, vaya, vayamos, vayáis, vayan; **Ser:** sea, seas, sea, seamos, seáis, sean; **Estar:** esté, estés, esté, estemos, estéis, estén.

2 **1** estés; **2** tengas; **3** encuentre; **4** venga; **5** hagan; **6** te pongas; **7** encontrar; **8** comas; **9** vayan; **10** ganar; **11** gane; **12** saque; **13** salgamos; **14** esté.

3 **1** ¡Que te mejores! **2** ¡Que tengas buen viaje! **3** ¡Que seáis felices! **4** ¡Que tengas suerte! **5** ¡Que duermas bien!, ¡Que descanses! **6** ¡Que te lo pases bien!, ¡Que te diviertas!, **7** ¡Felicidades!, ¡Feliz cumpleaños!; **8** ¡Que aproveche!

4 (1) Hola; (2) beca; (3) a; (4) mejorar; (5) espero; (6) Este; (7) apruebo; (8) vacaciones; (9) verte; (10) pronto; (11) diviertas; (12) besos.

UNIDAD 8

A Buscando trabajo

1 **1** mecánico/a; **2** profesor/a; **3** comercial; **4** cocinero/a; **5** guía turístico/a; **6** informático/a; **7** peluquero/a; **8** periodista; **9** taxista; **10** enfermero/a; **11** policía.

2 ¿Trabajas en una oficina?, ¿Trabajas por la noche?; ¿Tienes que conducir?, ¿Tienes que levantarte temprano?; ¿Normalmente hablas otros idiomas?, ¿Normalmente hablas por teléfono?

3 JOANA: b. Soy profesora de Educación Infantil; JOANA: d. Sí, he trabajado un año en una escuela del Ayuntamiento; DIRECTORA: a. Hay dos turnos: de 8 de la mañana a 3 de la tarde y de 10 a 5; DIRECTORA: c. Puedes elegir: bebés o de 1 a dos años; DIRECTORA: e. 1000 € durante el primer año.

B Sucesos

1 **1** A las 7:30 se estaba duchando. **2** A las 8:00 estaba desayunando en su casa; **3** A las 9:00 estaba dirigiéndose a su trabajo; **4** A las 9:30 estaba conduciendo su furgón de seguridad; **5** A las 10:00 estaba recogiendo 180 000 € en un banco; **6** A las 10:45 estaba abandonando su furgón en un aparcamiento público; **7** A las 11:30 estaba volando con destino a Brasil con su botín; **8** A las 21:30 estaba registrándose en un hotel de 5 estrellas; **9** A las 22:00 estaba cenando en el mejor restaurante de Río de Janeiro; **10** A las 24:00 estaba llamando por teléfono a su madre para desearle buenas noches.

2 **1** (Él) estaba haciendo la comida cuando el cartero llamó a la puerta; **2** (Ellos) estaban cenando cuando el móvil sonó; **3** (Ellas) estaban jugando al tenis cuando empezó a llover; **4** (Él) estaba haciendo una foto cuando el perro le mordió; **5** (Ellos) estaban paseando por al calle cuando vieron un accidente entre dos coches; **6** El ladrón estaba robando el banco cuando llegó la policía.

3 **1** sonó, estaban durmiendo; **2** robaron, estaba hablando **3** estaba empezando, entramos; **4** estaba comprando, se encontró, **5** llamaste, estaba viendo; **6** llegué, estaba trabajando.

4 **1** Un robo a la joyería *La perla de Manila*; **2** Han pasado a disposición judicial; **3** Naufragaron en las costas de Irlanda; **4** Porque el barco chocó contra unos acantilados y se rompió en dos **5** Decenas de paisanos de distintos puntos de Galicia; **6** No se sabe; **7** En la calle Altamirano de Madrid; **8** Han declarado esta mañana en las dependencias policiales; **9** Las ha ampliado debido al accidente que tuvo lugar en el Gran Premio de Alemania. **10** Solo puede haber trabajadores de los equipos en la zona de abastecimiento mecánico, y la velocidad ya no puede ser mayor de 80 Km por hora.

C Excusas

1 (1) ¿Cuántos años tienes? (2) ¿Estás casado? (3) ¿Dónde vives? (4) ¿Qué es lo mejor de vivir en el centro? (5) ¿Qué es lo peor? (6) ¿Cuál es tu restaurante favorito? (7) ¿Dónde haces la compra? (8) ¿Qué haces en tu tiempo libre?

3 **1** La entrevistadora le preguntó que cuántos años tenía; **2** (La entrevistadora le preguntó) que si estaba casado; **3** (La entrevistadora le preguntó) que dónde vivía; **4** (La entrevistadora le preguntó) que qué era lo mejor de vivir en el centro; **5** (La entrevistadora le preguntó) que qué era lo peor de vivir en el centro **6** (La entrevistadora le preguntó) que cuál era su restaurante favorito; **7** (La entrevistadora le preguntó) que dónde hacía la compra; **8** (La entrevistadora le preguntó) que qué hacía en su tiempo libre.

4 **1** El señor le contestó que tenía 55 años; **2** El señor le contestó que estaba casado y tenía dos hijos; **3** El señor le contestó que vivía en la calle Goya, en una casa bastante grande y luminosa; **4** El señor le contestó que lo mejor de vivir en el centro era que podía ir andando a su trabajo y que había muchas tiendas cerca; **5** El señor le contestó que lo peor era el aparcamiento; **6** El señor le contestó que no tenía ningún restaurante favorito, pero que cuando salían en familia elegían un restaurante italiano; **7** El señor le contestó que la compra la solían hacer en un supermercado cerca de casa; **8** El señor le contestó que lo que más le gustaba hacer en su tiempo libre era salir de Madrid y andar por el campo.

5 **1** El paciente le dijo al médico que tenía un problema: sentía un dolor en su ojo derecho cada vez que se bebía una taza de café; Y el doctor le respondió que no parecía nada serio, que tenía que sacar la cucharilla de la taza antes de beberse el café; **2** La paciente le dijo al médico que le dolía la pierna derecha; El doctor le respondió que eso era cosa de la edad; Y la paciente le dijo que la otra pierna tenía la misma edad y que no le dolía.

PRACTICA MÁS 4

1 A. Vendedores; B. Cocinero/a; C. Agente de turismo; D.

Conductores; E. Profesor/a.

2 **1** b, c, e; **2** b, c, d; **3** a, b, d, e; **4** c; **5** d

3 **1** el periodista; la periodista; **2** el peluquero; la peluquera; **3** el dependiente; la dependienta; **4** el guía; la guía; **5** el conductor; la conductora; **6** el programador; la programadora; **7** el taxista; la taxista; **8** el juez; la jueza.

4 **1** En un periódico; **2** En una peluquería; **3** En un supermercado; **4** En una agencia de viajes; **5** En un autobús; **6** En una empresa informática; **7** En una empresa de transportes; **8** En un juzgado.

5 **1** No te pongas este jersey, te queda mal; **2** No se siente aquí, la mesa está ocupada; **3** No cojas mi coche, está estropeado; **4** No limpies la habitación, está limpia; **5** No llenes la jarra de agua, está llena; **6** No vayas a comprar el periódico, el quiosco está cerrado; **7** No te compres este CD, está fatal; **8** No te tomes el café, está muy caliente; **9** No vayas a ver esa película, es muy mala.

6 **1** Papá, dame dinero para comer, por favor; **2** Guarda los libros; **3** Por favor, tráigame una cucharilla; **4** Niños, apagad la tele; **5** Hija, levántate ya; **6** Deje de fumar y haga ejercicio; **7** Por favor, hablad más bajo; **8** No corra; **9** Hijo, no comas tanto; **10** No vaya a tomar café tantas veces.

7 **1** Yo espero que Ana traiga el pan; **2** Yo espero que venga a verme; **3** Yo espero que escribáis pronto; **4** Yo espero que mi equipo juegue bien; **5** Yo espero que mi hija apruebe; **6** Yo espero que estéis bien; **7** Yo espero que vengas a mi boda; **8** Yo espero que te mejores.

8 **1** Isabel le preguntó a Andrés que si tenía hambre. Andrés le respondió que sí, que si preparaban la cena. **2** Luisa le preguntó a Tomás que dónde se alojaba cuando iba a Barcelona. Tomás le contestó que siempre iba a casa de su hermano. **3** Ana le preguntó a Juan que qué quería comer, y Juan le respondió que le daba igual, que le gustaba todo.

9 **1** tengas; **2** vengáis; **3** llames; **4** apruebe; **5** casarse; **6** hagas; **7** salgas; **8** sacarse; **9** se jubile.

UNIDAD 9

A ¿Cuánto tiempo llevas esperando?

1 **1** b); **2** a) **3** b); **4** c); **5** b).

2 **1** lleva viendo; **2** llevan trabajando; **3** Lleva nevando; **4** llevas estudiando; **5** lleva saliendo; **6** llevamos ahorrando; **7** Llevo buscando; **8** lleváis hablando; **9** Llevamos esperando; **10** lleváis buscando.

3 **1** Carlos lleva tres horas durmiendo; **2** Rosa lleva una hora y media tocando el piano; **3** Emilio lleva … trabajando en un taller mecánico; **4** Llevamos … meses saliendo; **5** Elena lleva dos meses jugando al baloncesto en el Juventud; **6** El lavaplatos lleva un cuarto de hora funcionando; **7** La película lleva un rato empezada.

B ¿Qué pasará?

1 **1** V; **2** F; **3** F; **4** V; **5** F; **6** F; **7** V; **8** F; **9** V.

2 **1** será; **2** abrirá; **3** Habrá; **4** podrán; **5** tendrán; **6** estará.

3 **1** hablará; **2** firmarán; **3** repartirá; **4** viajarán; **5** podrán; **6** lloverá; **7** votará; **8** pasará; **9** vendrán. **10** dirá.

4 **1** c; Si fumamos en el autobús, los viajeros protestarán;

2 e; Si el jefe sube el sueldo a Alberto, se comprará un coche nuevo; **3** a; Si el despertador no suena, me levantaré tarde; **4** d; Si mi hija va a la universidad, estudiará Informática; **5** f; Si hace buen tiempo, iremos a dar un paseo; **6** b; Si vais a Granada, veréis la Alhambra.

5 **1** no te olvides; **2** se enfadará; **3** daos; **4** me cansaré; **5** cierra; **6** llamad; **7** iremos; **8** mojarás; **9** come; **10** llamadme.

6 **1** Pedirá ayuda; **2** El destino les premiará; **3** Practicar algún deporte; **4** Problemas económicos; **5** Encontrarán una pareja.

C ¿Qué te parece este...?

1 **1** El incidente ocurrió en la sierra de Madrid; **2** El cielo estaba despejado; **3** La protagonista vio una luz roja; **4** El objeto se movía rápidamente; **5** Se lo contó a la policía; **6** Ella creyó que era un ovni; **7** La policía no la creyó.

2 **1** c; **2** a; **3** e; **4** b; **5** d; **6** h; **7** f; **8** g.

3 **1** 10 años; **2** No; **3** Sí; **4** 250 euros; **5** Una fotocopia de DNI o pasaporte; **6** Está en Carabanchel, en la calle de La Oca.

UNIDAD 10

A ¿Qué piensas hacer estas vacaciones?

1 **1** La estatua "El Cristo del Corcovado", la roca del "Pan de Azúcar" y las playas de Copacabana e Ipanema; **2** El tercer día; **3** Hay que pagarla parte; **4** La tarde es libre para compras de artesanía indígena en el Mercado Modelo; **5** 1208 €; **6** No.

2 **1** ganar; **2** van a ver; **3** va a tener; **4** va a caerse; **5** va a tener; **6** vamos a salir.

3 **1** a) En el pueblo de sus padres; b) Juegan todo el día con sus primos; c) Salen a tomar algún refresco con sus amigos; d) El 15 de agosto; **2** a) El tenis y el esquí; b) A Asturias; c) El contacto con la naturaleza y disfrutar de nuevas experiencias; **3** a) Hace cinco años; b) Porque querían aprovechar el tiempo; c) Los profesores son personalidades muy importantes en su campo; d) Hay fiestas, conciertos musicales y la playa está muy cerca.

B Cuando tenga tiempo

1 **1** b); **2** a); **3** g); **4** d); **5** c); **6** e).

2 **1** vivíamos; **2** tenga; **3** vas; **4** has ido; **5** pueda; **6** era; **7** jubile; **8** sea; **9** eres. **10** terminamos. **11** A. trabajas; B. tenía; **12** llegues; **13** es, sea.

3 **1** llegue; **2** puedas; **3** puedo; **4** A: irás; B: termine; **5** salga; **6** se jubilen; **7** se jubilaron; **8** vuelvan; **9** salíamos; **10** A: empezarás; B: termine; A: terminarás; B: apruebe.

4 Actividad libre.

C ¿Para qué sirve esto?

1 **1** una persona; **2** una especie; **3** un lugar; **4** una persona; **5** un mueble; **6** un objeto; **7** un aparato. **8** un lugar; **9** una imagen; **10** una actividad; **11** una película.

2 **a** 6; **b** 5; **c** 1; **d** 2; **e** 3; **f** 4; **g** 7.

3 **1** ¿Has terminado ya el trabajo? **2** Ayer vendí dos libros; **3** ¿Puedes apagar la luz, por favor? **4** Marisa ha suspendido

el examen de conducir; **5** El avión llegó a las 6.30; **6** Este mecánico ha estropeado el coche; **7** ¿Quién ha respondido eso? **8** María ha traído al niño del colegio; **9** Nosotros volvimos a casa a las 8; **10** Tengo que pagar el dinero de esa factura.

PRACTICA MÁS 5

1 **1** Lleva lloviendo dos horas; **2** Lleva estudiando inglés dos años; **3** Llevo aprendiendo a conducir desde diciembre; **4** Irene y Julián llevan buscando trabajo desde el verano; **5** María lleva trabajando en Sevilla desde el 20 de febrero; **6** Mi hermano y yo llevamos viviendo en Salamanca desde el curso pasado; **7** Llevo escribiendo una novela desde hace seis meses.

2 **1** ¿Cuánto tiempo lleva lloviendo? **2** ¿Cuánto tiempo lleva Julia tocando la flauta? **3** ¿Cuánto tiempo lleva doliéndote la espalda? **4** ¿Cuánto tiempo lleva Juan viviendo en el campo? **5** ¿Cuánto tiempo llevan tus amigos cantando en el coro? **6** ¿Cuánto tiempo lleváis jugando en el mismo equipo? **7** ¿Cuánto tiempo llevas trabajando en Málaga? **8** ¿Cuánto tiempo lleváis esperando a tu hermano?

3 **1** c); **2** e); **3** a); **4** f); **5** b); **6** d); **7** h); **8** g).

4 (1) estamos, (2) es, (3) está, (4) compramos, (5) estuvimos, (6) hicimos, (7) fue, (8) veréis, (9) llegue, (10) estéis.

5 **1** tienes, cierra; **2** Iré, invitan; **3** conduces, parará; **4** bebes, no conduzcas; **5** hay, enviaré; **6** Vendrás / vienes, vamos; **7** pagas, cortarán; **8** Llama, tienes.

6 **1** casamos; **2** compro; **3** llamad; **4**. os contaré; **5** tomaremos; **6** di; **7** conduzcas; **8** llevo; **9** haré; **10** pasó.

7 **1** Un arquitecto es una persona que diseña edificios; **2** Un vegetariano es una persona que come verduras; **3** Una zapatería es un lugar donde se vende zapatos; **4**. Un frigorífico es un electrodoméstico que conserva alimentos. **5** Un cirujano es una persona que opera a los enfermos. **6** Un parque es un lugar donde juegan los niños.

8 **1** Alicia se comprará un coche nuevo si le toca la lotería; **2** Mis amigos irán a Barcelona si tienen dinero; **3** Tú sacarás buenas notas si estudias mucho; **4** Saldremos de paseo si Juan llega pronto.

9 **1** No voy a jugar al tenis mañana; **2** Van a casarse mañana; **3** ¿Vas a ver a Tomás esta noche? **4** Va a llover mañana; **5** ¿Cuándo van a ir a Barcelona? **6** ¿Qué vais a hacer esta tarde? **7** Juan va a estar en Salamanca la próxima semana. **8** ¿Quién va a ir a la fiesta el sábado? **9** Me voy a comprar un coche nuevo la próxima semana. **10** Alejandro Sanz va a cantar en Gijón el mes de septiembre.

10 **1** ¿Qué vas a hacer con él? **2** ¿Qué vas a llevar puesto? **3** ¿Qué van a oír? **4** ¿Dónde va a ponerlo? **5** ¿A quién vas a invitar?

Vocabulario

Abreviaturas

adj. = adjetivo
adv. = adverbio
conj. = conjunción

prep. = preposición
pron. = pronombre
n. m. = nombre masculino

n. f. = nombre femenino
v. = verbo
v. r. = verbo reflexivo

Repasa las palabras más importantes de cada unidad y tradúcelas a tu idioma.

UNIDAD 1

admirar (v.) _____
amable (adj.) _____
andar (v.) _____
biografía (n. f.) _____
crítico/a (adj.) _____
encantado/a (adj.) _____
equipo (n. m.) _____
gastar (v.) _____
inolvidable (adj.) _____
libre (adj.) _____
meditación (n. f.) _____
mucho gusto _____
naturaleza (n. f.) _____
ordenador (n. m.) _____
palacio (n. m.) _____
pirámide (n. f.) _____
recuerdo (n. m.) _____
regular (adj.) _____
rutina (n. f.) _____
saludar (v.) _____
silencio (n. m.) _____
tardar (v.) _____
templo (n. m.) _____
tumba (n. f.) _____

UNIDAD 2

actor (n. m.) _____
banda (n. f.) _____
capital (n. f.) _____
ciclista (n.) _____
componer (v.) _____
concurso (n. m.) _____
coro (n. m.) _____
crecer (v.) _____
descubrir (v.) _____
entrenar (v.) _____
famoso/a (adj.) _____
fecha (n. f.) _____
grabar (v.) _____
habitante (n.) _____
inventor/a (n.) _____
isla (n. f.) _____
millonario/a (adj.) _____
nacimiento (n. m.) _____
novela (n. f.) _____
pisar (v.) _____
población (n. f.) _____
recibir (v.) _____
repertorio (n. m.) _____

sacar (v.) _____
salsa (n. f.) _____
superficie (n. f.) _____
tango (n. m.) _____

UNIDAD 3

abuelo/a (n.) _____
alegre (adj.) _____
amable (adj.) _____
arreglar (v.) _____
boda (n. f.) _____
cariñoso/a (adj.) _____
cultura (n. f.) _____
cuñado/a (n.) _____
divertido/a (adj.) _____
egoísta (adj.) _____
grosero/a (adj.) _____
montar (v.) _____
nervioso/a (adj.) _____
pesado/a (adj.) _____
primo/a (n.) _____
serio/a (adj.) _____
sobrino/a (n.) _____
tranquilo/a (adj.) _____
triste (adj.) _____

UNIDAD 4

alfombra (n. f.) _____
apartamento (n. m.) _____
ascensor (n. m.) _____
calefacción (n. f.) _____
crítica (n. f.) _____
chalé (n. m.) _____
chimenea (n. f.) _____
espejo (n. m.) _____
gastar (v.) _____
gobierno (n. m.) _____
horno (n. m.) _____
lavabo (n. m.) _____
lavadora (n. f.) _____
limpiar (v.) _____
manta (n. f.) _____
miedo (n. m.) _____
mueble (n. m.) _____
pared (n. f.) _____
parqué (n. m.) _____
piso (n. m.) _____
planchar (v.) _____

protagonista (n.) _____
puesto (n. m) _____
sanidad (n. f.) _____
techo (n. m.) _____
terraza (n. f.) _____
toalla (n. f.) _____
vecino/a (n.) _____
votar (v.) _____

UNIDAD 5

adolescencia (n. f.) _____
anuncio (n. m.) _____
bronca (n. f.) _____
conductor/a (n.) _____
cruzar (v.) _____
diferencia (n. f.) _____
empresa (n. f.) _____
esquina (n. f.) _____
ganar (v.) _____
garaje (n. m.) _____
guardia (n. f.) _____
imprenta (n. f.) _____
maravilloso/a (adj.) _____
minifalda (n. f.) _____
monjas (n. f.) _____
pastelería (n. f.) _____
piscina (n. f.) _____
preocupado/a (adj.) _____
prisa (n. f.) _____
puntual (adj.) _____
reportaje (n. m.) _____
sierra (n. f.) _____
sueldo (n. m.) _____
sufrir (v.) _____
taller (n. m.) _____
tipógrafo/a (n.) _____
transporte (n. m.) _____
tranvía (n. m.) _____

UNIDAD 6

ahorrar (v.) _____
ajo (n. m.) _____
algo (pron.) _____
alguno (pron.) _____
amplificador (n. m.) _____
aperitivo (n. m.) _____
banqueta (n. f.) _____
batería (n. f.) _____

calamar (n. m.) _____

cebolla (n. f.) _____

cocer (v.) _____

coliflor (n. f.) _____

encuesta (n. f.) _____

fresa (n. f.) _____

freír (v.) _____

intercambiar (v.) _____

judías verdes (n. f.) _____

lechuga (n. f.) _____

machacar (v.) _____

manzana (n. f.) _____

marisco (n. m.) _____

melocotón (n. m.) _____

merienda (n. f.) _____

morcilla (n. f.) _____

nada (pron.) _____

negociable (adj.) _____

ninguno (pron.) _____

óptico/a (adj.) _____

paellera (n. f.) _____

patata (n. f.) _____

pera (n. f.) _____

plátano (n. m.) _____

seminuevo/a (adj.) _____

trocear (v.) _____

uva (n. f.) _____

zanahoria (n. f.) _____

UNIDAD 7

animado/a (adj.) _____

aprovechar (v.) _____

bañador (n. m.) _____

basura (n. f) _____

crema (n. f.) _____

cumplir (v.) _____

deprimido/a (adj.) _____

divertirse (v. r.) _____

enamorado/a (adj.) _____

harto/a (adj.) _____

mejorar (v.) _____

papelera (adj.) _____

peligro (n. m.) _____

precaución (n. f.) _____

protector/a (adj.) _____

protegerse (v. r.) _____

quemadura (n. f) _____

quemarse (v. r.) _____

raro/a (adj.) _____

reservado/a (adj.) _____

revuelto/a (adj.) _____

señal (n. f.) _____

solar (adj.) _____

suficiente (adv.) _____

UNIDAD 8

aplazar (v.) _____

atender (v.) _____

avería (n. f.) _____

condición (n. f.) _____

conductor/a (n.) _____

contestador (n. m.) _____

guía turística (n.) _____

hipnotizador/a (n.) _____

intentar (v.) _____

ladrón/a (n.) _____

mensaje (n.) _____

pagas (n. f.) _____

perder (v.) _____

periodista (n.) _____

prisión (n. f.) _____

programador/a (n.) _____

propina (n. f.) _____

quejarse (v. r.) _____

suceso (n. m.) _____

UNIDAD 9

ajedrez (n. m.) _____

colaborar (v.) _____

corrupción (n. f.) _____

desagradable (adj.) _____

emocionante (adj.) _____

interesar (v.) _____

molestar (v.) _____

opinar (v.) _____

póster (n. m.) _____

predicción (n. f.) _____

preocupar (v.) _____

promesa (n. f.) _____

vivienda (n. f.) _____

UNIDAD 10

adaptarse (v. r.) _____

aspiradora (n. f.) _____

azafata (n. f.) _____

circunstancias (n. f.) _____

compartir (v.) _____

considerar (v.) _____

convivencia (n. f.) _____

despertador (n. m.) _____

disfrutar (v.) _____

documentarse (v. r.) _____

imprevisto/a (adj.) _____

interpretación (n. f.) _____

intolerante (adj.) _____

introvertido/a (adj.) _____

limitado/a (adj.) _____

monedero (n. m.) _____

pegamento (n. m.) _____

peine (n. m.) _____

plan (n. m.) _____

protestar (v.) _____

regalo (n. m.) _____

rígido/a (adj.) _____

ruido (n. m.) _____

sacacorchos (n. m.) _____

test (n. m.) _____

tostadora (n. f.) _____

Notas